JAHRBUCH STAHL+TECHNIK

HIGHLIGHTS AUS STAHLPRODUKTION, WEITERVERARBEITUNG UND ANWENDUNGSTECHNIK

Titelfoto: Mark Mercer
Satz: DVS Media GmbH · Druck: D+L Printpartner GmbH

1. Auflage

Printed in Germany
ISBN 978-3-96144-277-5

JAHRBUCH STAHL+TECHNIK

REDAKTIONELLER TEIL

herausgegeben von
DVS Media GmbH, Düsseldorf

INHALT

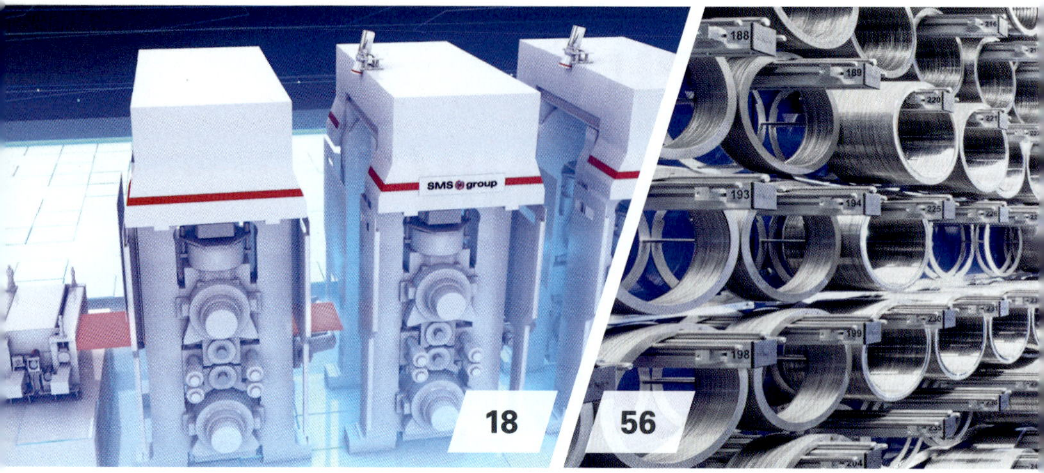

Krantechnik

Künstliche Intelligenz

Mess- und Prüftechnik

Roheisen

Stahlhandel

INSERENTENVERZEICHNUS

Führend bei Produktlösungen aus Kupfer und Kupferlegierungen

INNOVATION UND EXZELLENZ: WELTMARKTFÜHRER CUNOVA GMBH IM PORTRÄT

Seit dem erfolgreichen Carve-out aus der KME-Gruppe zu Beginn des Jahres 2022 hat cunova nicht nur seine bestehende Marktposition gefestigt, sondern diese auch kontinuierlich ausgebaut. Dabei gelingt es dem Unternehmen, seine hohen Ansprüche im Hinblick auf Leistungsfähigkeit und Qualität konsequent zu erfüllen. Als Vorreiter in gleich mehreren Bereichen der Industrie bietet cunova eine breite Palette von Produkten und Lösungen an.

Ob Kokillenrohre, -platten oder andere Gießformen – cunovas Produkte im Bereich Strangguss von Eisen- und Nichteisenmetallen sind weltweit führend. Außerdem gilt das Unternehmen als Spezialist für gezogene Kupfererzeugnisse und Fertigteile, sowie als kompetenter und leistungsfähiger Partner, wenn es um die Lieferung von Stangen und Profilen geht. Ein weiterer Bereich der cunova GmbH ist der Sektor hochkorrosionsbeständiger Kupfer-Nickel-Produkte und Beschichtungen für die Anwendung im Schiffbau sowie auf Offshore Plattformen in Öl & Gas. Der jüngste Geschäftsbereich „Services Division" bietet erweiterte Kundenunterstützung. Auftraggeber erhalten maßgeschneiderte Dienstleistungen sowie technischen Support - genau dort wo sie ihn benötigen, um den bestmöglichen Service zu gewährleisten. Das erfahrene Team von cunova arbeitet eng mit Partnern auf der ganzen Welt zusammen, um den speziellen Anforderungen der Kunden gerecht zu werden.

INNOVATIONSKRAFT, DIE VERBINDET

Innovationen bilden das Herzstück des Unternehmenserfolgs. Kontinuierlich entwickeln qualifizierte Experten neue Technologien und Produkte, die die Grenzen des Machbaren erweitern - vom Einsatz modernster Fertigungstechnologie bis zur Verbesserung von Materialien. Der Ausbau der Produktion von hoch qualitativem Kupferpulver, z.B. für die Anwendung im Bereich Additive Manufacturing, ist ebenso die Weiterentwicklung von "intelligenten" Kokillenformen eines von vielen Beispielen für die Innovationskraft bei cunova.

KUNDENORIENTIERTE PARTNERSCHAFT

Die Bedürfnisse der Kunden stehen immer im Mittelpunkt des Handelns. Bei cunova versteht man, dass jede Herausforderung einzigartig ist. Um zu erfassen, welche die beste Lösung ist, ist es notwendig vertrauensvolle Partnerschaften und starke Beziehungen zu pflegen. Das cunova Sales und Konstruktions-Team arbeitet eng mit den Kunden zusammen, um sie bei der Auswahl des richtigen Materials, der Konzeption neuer Anwendungen oder der Optimierung bestehender Prozesse bestmöglich zu beraten.

GEMEINSAM IN DIE ZUKUNFT

Von Beginn an, hat sich cunova der Weiterentwicklung von Kupferlösungen verschrieben und ist stolz darauf, die Entwicklungen in der Industrie voranzutreiben. Das Engagement der eigenen Mitarbeitenden ist dabei tragende Kraft. Die Bedeutung eines starken Teams wird sehr geschätzt, Zusammenarbeit und Ideenaustausch werden aktiv gefördert, um dem Markt einen Schritt voraus zu sein.

Mehr über cunova erfahren Sie unter cunova.com

NEUES LEVEL BEIM STRANGGUSS

Weltweit erste 3-Strang-Brammenanlage

Vorteile bei Capex und Opex: Im Vergleich zu herkömmlichen Stranggießanlagen mit gleicher Produktionskapazität kommt dieses neue Anlagenkonzept mit weniger Platz aus und verspricht überdies geringere Betriebs- und Wartungskosten.

Als eine von insgesamt sechs Gießanlagen hat Primetals Technologies im September 2023 beim chinesischen Stahlhersteller Tangshan Donghua Iron and Steel Enterprise Group in Tangshan, Provinz Hebei, die weltweit erste 3-Strang-Brammengießanlage in Betrieb genommen.

Die neue 3-Strang-Lösung bietet für den Stahlhersteller mehrere Vorteile: Die herkömmliche Alternative, eine Konfiguration aus zwei 2-Strang-Gießanlagen, hätte doppelt soviel Platz beansprucht. Zudem reduziert die 3-Strang-Gießanlage die Investitions- und Betriebskosten: Geringe Ausrüstungs- und Bau-

Die weltweit erste 3-Strang-Brammengießanlage ging beim chinesischen Stahlhersteller Tangshan Donghua in Betrieb (Bild: Primetals Technologies)

kosten senken die Investitionskosten und die effiziente Konfiguration der Anlage die Betriebs- und Wartungskosten.

Die grundlegenden technische Daten der 3-Strang-Brammengießanlage lesen sich zunächst eher unspektakulär:

- Radius: 8 Meter
- Metallurgische Länge: 40 Meter
- Brammendicke: 210 Millimeter
- Brammenbreite: 750 bis 1.100 mm
- Gießgeschwindigkeit: max 2,5 m/min

Das richtungsweisende 3-Strang-Konzept der Anlage hebt die Stranggusstechnik allerdings auf ein neues Niveau. Der maßgeschneiderte, sehr große Gießverteiler überzeugt durch seine hohe Steifigkeit sowie durch die Art und Weise, wie er den Stahlfluss optimiert. Die geraden, kassettenförmige SMART-Kokillen sorgen für eine optimale Erstarrung des Strangs.

Der hydraulische DynaFlex-Oszillator passt die Parameter der Kokillenoszillation an die Zusammensetzung des flüssigen Stahls an und ermöglicht so eine bessere Oberflächenqualität der Brammen. Als Teil der Sekundärkühlung sorgt die DynaJet-Spritzkühlung für eine homogene Temperaturverteilung, sodass Eckrisse vermieden werden, was besonders bei modernen Stahlsorten wichtig ist.

Durchgängiges Automatisierungspaket

Die 3-Strang-Gießanlage ist mit einem hochmodernen Automatisierungspaket ausgestattet. Dabei verbessern die innovativen dynamischen Sekundärkühlungs- und Soft-Reduction-Pakete DynaPhase, Dynacs 3D und DynaGap Soft Reduction 3D den Stranggussprozess erheblich, indem sie zahlreiche Parameter online überwachen und einbeziehen, wie etwa thermodynamische Effekte, chemische Zusammensetzung und Phasenübergänge. Darüber hinaus bieten die Level-2-Pakete eine Offline-Simulation für die Entwicklung neuer und noch effizienterer Gießverfahren. LevCon ist ein System zur automatischen Gießspiegelregelung mit „Autostart"-Gießfunktionen und selbstanpassender dynamischer Bulging-Kompensation. Mold Expert überwacht die Kokille digital in Echtzeit und hilft bei der Vermeidung von Kokillendurchbrüchen.

An dieser Brammengießanlage wurden mehrere Expert Systems integriert:

- **Nozzle Expert** überwacht den Zustand des Sekundärkühlsystems und erkennt verstopfte Düsen und Leckagen mit höchster Genauigkeit.
- **Quality Expert** verfolgt, kontrolliert und überwacht qualitätsbezogene Daten und Qualitätsvorhersagen für die Gussprodukte.
- **Speed Expert** berechnet für jede Situation die optimale Gießgeschwindigkeit und berücksichtigt dabei Faktoren wie Überhitzung und Heat Pacing.
- **Yield Expert** optimiert die Schnittlänge und berücksichtigt dabei Schrottanteile, qualitätsbedingte Unstimmigkeiten, Gewichtsbeschränkungen und Breitenänderungen zur Minimierung der Schrottmenge und Optimierung der Ausbringung.

Tangshan Donghua wurde 2009 gegründet und ist heute eines der 500 größten Unternehmen Chinas. Das integrierte Hüttenwerk vereint die Produktionskette von Sintern, Roheisenerzeugung (Hochofen), Stahlwerk bis zu Walzwerken. Primetals Technologies und Tangshan Donghua arbeiten seit 2017 gemeinsam an Projekten für metallurgische Services und Offline-Wartung für die Stranggussanlagen des Stahlherstellers.

Primetals Technologies

BANDVERARBEITUNG

Scherenmesser im Handumdrehen austauschen

Bei Konti-Bandanlagen sind Produktionsstillstände aufgrund eines unvorhergesehenen Wechsels der Querteilmesser nicht nur kostspielig, sondern auch mit einem erheblichen Mehraufwand verbunden. Ungeplante Nacharbeiten, Qualitätseinbußen, hohe Schrottmengen und Unzufriedenheit sind die Folgen. Eine neu entwickelte Schnellwechselschere schafft jetzt Abhilfe.

Die hpl-Neugnadenfelder Maschinenfabrik GmbH hat sich dieser Aufgabe angenommen und in Kooperation mit Risse + Wilke Kaltband GmbH & Co. KG, Iserlohn, einem renommierten Hersteller von vergütetem Bandstahl, eine Schnellwechselschere entwickelt, die sich durch Präzision, einfache Bedienung und eine kompakte Bauform auszeichnet. Eines der Kernprodukte von Risse + Wilke ist bleifrei vergütetes Kaltband, das zum Beispiel zu qualitativ hochwertigen Sägeblättern verarbeitet wird. Die dafür eingesetzten Stahlbänder müssen für den anspruchsvollen Einsatz einer besonderen Vergütung unterzogen werden, durch die sie eine hohe Festigkeit und Härte erlangen. Nach dem Durchlauf durch den Vergüteofen werden sie an der nachgeschalteten Querteilschere abgetafelt und als Blechzuschnitte an den Kunden zur weiteren Bearbeitung geliefert.

Das Abtafeln des vergüteten Stahlbandes beansprucht die Querteilschere aufgrund der extremen Härte des zu schneidenden Materials über das übliche Maß hinaus. Neben dem Verschleiß besteht deswegen abhängig von der zu schneidenden Tafellänge und dem daraus resultierenden Schneidzyklus im Produktionsprozess auch das Risiko eines Messerausbruchs. „Diesen gilt es unverzüglich zu beheben", betont Roland Pudelko, Produktionsleiter

Dank einer leichtläufigen Doppel-Wechselkassette erfolgt der Scherenmesserwechsel in unter einer Minute (Foto: Risse + Wilke)

Martin Aufdemkamp, hpl-Neugnadenfelder Maschinenfabrik GmbH –
Kontakt: Martin.Aufdemkamp@hpl-group.de

der Wärmebehandlung bei Risse + Wilke. Unverzüglich bedeutet im Iserlohner Werk eine Zeit von maximal 7 Minuten, bis die vor der Schere positionierte Schlingengrube vollgelaufen ist und zu einem Bandlaufstopp innerhalb des Vergüteofens führt. „Steht das Band", so Roland Pudelko, „ist die gesamte Bandlänge innerhalb des Ofens nicht mehr nutzbar und muss verschrottet werden." Im Iserlohner Werk entspricht dies einer Bandlänge von bis zu 60 Metern.

Messerausbrüche sind im Produktionsprozess leider keine Seltenheit. Die beim Schneiden entstehenden Mikrospäne können unbemerkt in den Schneidspalt geraten und die voreingestellte Schnittlufteinstellung negativ beeinflussen. „Als Resultat erhalten wir Grate sowohl am Messer als auch an den Schnittkanten des Bandmaterials. Mit den hohen Qualitätsansprüchen an das von uns vorbehandelte Material ist dies nicht vereinbar", definiert Pudelko die betriebsintern vorgegeben Qualitätskriterien.

Es galt eine Lösung zu finden, mit der die Scherenmesser innerhalb kürzester Zeit gewechselt werden können. Gleichzeitig sollte weiterhin eine präzise Schnittlufteinstellung gewährleistet sein, um den am Markt geforderten Bandqualitäten zur weiteren Bearbeitung zu entsprechen. Vorgaben, auf die Roland Pudelko sehr viel Wert legt. „Risse + Wilke agiert im Bereich von kaltgewalztem Bandstahl als Problemlöser am Markt und verspricht seinen Kunden qualitativ hochwertige Tafelzuschnitte. Wir verarbeiten Bänder aus Stahl mit 0,2 – 6,20 mm Dicke und 20 – 725 mm Bandbreite. Unsere Kunden verlassen sich darauf, dass wir sämtliche Materialabmessungen ‚just-in-time' mit einer konstant hohen und gleichbleibenden Qualität ausliefern. Messerwechsel mit einer Dauer von bis zu maximal 6 Stunden waren hierfür nicht länger hinnehmbar", beschreibt Roland Pudelko die Aufgabenstellung.

Von der Idee zur (Sonder-)Lösung

Mit der Grundidee eines Scherenwechsels mittels einer Doppelwechselkassette trat Roland Pudelko bereits im Jahr 2018 an renommierte Scherenhersteller heran. In diversen Gesprächen stellte sich jedoch heraus, dass mit den von Pudelko definierten Anforderungen eines Scherenmesserwechsels unter 7 Minuten bei gleichzeitiger präziser Schneidspalteinstellung eine Lösung „von der Stange" nicht so einfach umsetzbar war.

Da der zur Verfügung stehende Bauraum sehr begrenzt war und Roland Pudelko eine einfache Lösung favorisierte, die keine zusätzlichen hydraulischen, pneumatischen oder elektrischen Nebenaggregate erforderte und sich zudem problemlos in die vorhandene Anlagenperipherie integrieren ließ, wandte er sich auch an die hpl-Neugnadenfelder Maschinenfabrik GmbH. Als Hersteller der Bandlauftechnik für die vorhandene Vergütelinie kannte hpl die Qualitätsanforderungen des Iserlohner Werkes genau und konnte zusammen mit Roland Pudelko eine Lösung erarbeiten, die den Bedürfnissen des Kunden exakt entsprach und auf dem

Für Konti-Bandanlagen bedeutet der Einsatz der hpl-Schnellwechselschere weniger Produktionsstillstände und mehr verkaufsfähiges Bandmaterial (Foto: Risse + Wilke)

zur Verfügung stehenden Bauraum realisiert werden konnte.

Während der Konstruktionsphase haben Risse + Wilke in Person von Roland Pudelko und hpl eng zusammengearbeitet, da Herr Pudelko sowohl die Anforderungen an die Materialqualität als auch die Anforderungen und Erfahrungen des Bedien- und Wartungspersonals detailliert kennt und diese Kenntnisse ebenfalls mit in die Entwicklung einfließen lassen wollte. So wurde das Grundprinzip der Doppelwechselkassette vollumfänglich von hpl aufgenommen und sukzessive optimiert. Erste Überlegungen, die Wechselkassette mittels eines Wagens zu verfahren, wurden schnell verworfen und durch einen fest angebundenen Schwenktisch ersetzt. Das Risiko eines Kippens der massiv ausgelegten Scherenkassette mit einem Gewicht von 1,5 Tonnen wurde durch diese Konstruktion verhindert.

Um eine hohe Reprozierbarkeit der Scherenposition/-ausrichtung zum Band für die zwei Messerkassetten zu gewährleisten, wurden außerdem passgenaue Zentrierdorne während der Entwicklungsphase in die Aufnahmevorrichtung integriert.

Sämtliche Überlegungen seitens hpl wurden von Roland Pudelko auf den Einsatz im Iserlohner Werk und die dort vorhandenen Gegebenheiten geprüft und gemeinsam abgestimmt. Nach dreimonatiger Konstruktions- und Entwicklungsphase entstand ein Produkt, dessen Funktion sich in wenigen Worten beschreiben lässt: **#solide #kompakt #präzise #schnellbedienbar #Problemgelöst**

Während des Produktionsbetriebes ist eine der beiden Kassetten im Einsatz, die zweite befindet sich auf dem Schwenktisch, der parallel zum Bandlauf ausgerichtet ist. Bei einem Messerwechsel wird der Tisch um 90° quer zum Bandlauf geschwenkt. So kann die erste Kassette aus dem Scherenständer heraus- und die zweite, mit neuen Messern präzise voreingestellte Kassette in ihn hineingeschoben werden. Dieser Vorgang dauert nur wenige Sekun-

Schnelle und leichte Bedienung der beiden Schnellwechselkassetten während des Messerwechsels (Foto: Risse + Wilke)

den, nach weniger als einer Minute geht die Linie wieder in den normalen Produktionsbetrieb über.

Der eigentliche Messerwechsel an der Kassette erfolgt am Schwenktisch, der wieder in seine Parkposition zurückgeschwenkt ist. Günter Veldmann, Projektleiter bei hpl, sieht hohen Nutzen für den Anwender: „Die Wechselkassette war auch für uns ein echtes Novum. Mit der Doppel-Wechselkassette haben die Bediener viel Zeit, die Messer zu wechseln und sie präzise einzustellen. Und wir schaffen Sicherheit, denn niemand braucht unter Zeitdruck direkt im Scherenständer zu arbeiten."

Der Schneidspalt kann über zwei Exzenter stufenlos zwischen 0 und 1 mm mit einer Präzision von 1/100 mm genau eingestellt werden. Dank der geringen Gesamtbreite kann die Schere sehr einfach auch nachträglich in vorhandene Bandbehandlungslinien integriert werden.

Die Bilanz

In knapp 12 Monaten von der Bestellung bis zur Inbetriebnahme im Werk Iserlohn haben Risse + Wilke und hpl in enger Kooperation eine Konstruktion entwickelt, die sich durch die geforderte Einfachheit und solide Bauform auszeichnet, gleichzeitig aber die gewünschte Präzision bei der Schneidspalteinstellung und einen Messerwechsel in unter einer Minute gewährleistet.

Nach mittlerweile sechsmonatigem Betrieb hat sich bereits bestätigt, dass sich die intensive Entwicklungsarbeit vollumfänglich ausgezahlt hat. Durch die neue Schnellwechselschere wurde nicht nur die Produktivität der Vergüteanlage gesteigert, auch die Zufriedenheit der eigenen Mitarbeiter ist seitdem deutlich gestiegen. Bedeuteten ungeplante Messerwechsel in der Vergangenheit oftmals auch das Abrufen der Instandhalter während des Wochenendes, können die Instandhalter heute während ihrer eingeteilten Schicht die in der Warteposition stehende Kassette in aller Ruhe vorbereiten und etwaige Produktionsstillstände vorbereitend ausschließen. Messerwechsel vor dem verdienten Feierabend gehören im Iserlohner Werk heute der Vergangenheit an.

Die Einführung der neuen Schnellwechselschere bringt auch für den Endkunden der Firma Risse + Wilke Kaltband GmbH & Co. KG zusätzliche Vorteile. Agierte das Unternehmen im Wärmebehandlungsbereich bereits vorab auf einem sehr hohen Qualitätsniveau, führen die im vorliegenden Anwenderbericht beschriebenen Prozess- und Handhabungsoptimierungen auf der Basis einer engen Zusammenarbeit am Produkt zu einer kontinuierlich ansteigenden Produktivität im gesamten Werk. Risse + Wilke Kaltband GmbH & Co. KG hat mit der Entwicklung dieses innovativen Produktes einmal mehr bewiesen, dass ihre Kunden als geschätzte Partner gesehen werden, für deren Zufriedenheit kontinuierlich in die Optimierung der Produktqualität investiert wird.

Insgesamt hat die neue Schnellwechselschere viele Abläufe im Werk harmonisiert und flexibler gemacht, denn durch die präzise Schneidspalteinstellung und die zur Verfügung stehende Mehrzeit kann Risse + Wilke eine flexiblere Produktmatrix fahren und muss nicht länger die Aufträge nach der zu schneidenden Banddicke einteilen. Der reduzierte Handlingaufwand hat auch zur Folge, dass für den Betrieb der Schnellwechselschere weniger erfahrene und geschulte Instandhalter zur Verfügung stehen müssen.

Mehrwert, der zählt

„Die Kosten für die Schnellwechselschere werden sich innerhalb von zwei Jahren amortisieren und die Schere ist es wert", erklärt Roland Pudelko. „Ursprünglich hatten wir für den Messerwechsel eine Dauer von weniger als fünf Minuten angestrebt. Diesen Wert hat hpl weit unterboten: Nach nur einer Minute nehmen wir die Produktion wieder auf. Das heißt für uns, dass wir mehr verkaufsfähiges Band produzieren." Die Bediener der Vergüteanlage, die Kollegen Heß und Pollok ergänzen begeisternd: „Messerwechsel in Konti-Anlagen sind stets mit Zeitdruck verbunden. Durch die neue Schnellwechselschere gehört dieser Druck der Vergangenheit an und sorgt für ein entspannteres Arbeiten. Positiv zu erwähnen ist auch die einfache Handhabung. Durch die leichtläufigen Rollen des Schwenktischs bemerkt man kaum, dass man gerade 1,5 Tonnen Gewicht verschiebt. Auch zeichnet sich die neue Schere durch einen im Vergleich zu den anderen im Werk betriebenen Scheren signifikant geräuschärmeren Betrieb aus." Gründe, die für sich sprechen und bereits sechs Monate nach Inbetriebnahme nahelegen, den Einsatz der Schnellwechselschere weiter auszubauen. So wird aktuell der Einbau einer weiteren Schnellwechselschere an der parallel verlaufenden Vergütelinie geplant, damit auch diese Anlage zukünftig produktiver und effizienter eingesetzt werden kann.

Tanja Lewandowski,
hpl-Neugnadenfelder Maschinenfabrik GmbH,
Ringe/Neugnadenfeld

WARMBREITBAND-PRODUKTION

Integrierte Regelung der Bandführung für mehr Stabilität im Walzprozess

Die technologische Modernisierung des Warmbandkomplexes im türkischen Kocaeli verschafft dem Stahlhersteller Çolakoğlu Metalurji wesentliche Vorteile in Bezug auf die Stabilität des Walzprozesses sowie bei der Produktion von hochwertigem Band, insbesondere im Hinblick auf Bandplanheit und Coilform, bei gleichzeitig reduziertem Instandhaltungsaufwand in der Fertigstraße.

Einlaufseite der Warmbandstraße bei Çolakoglu Metalurji (Bild: SMS group)

Die SMS group hat die technologische Modernisierung des ursprünglich an Çolakoğlu Metalurji gelieferten Warmbandkomplexes für den Produktionsstandort im türkischen Kocaeli erfolgreich umgesetzt. Das Technologie-Upgrade sorgt bei Çolakoğlu Metalurji für überragende Stabilität im Walzprozess und hochwertige Bandproduktion.

Zum Lieferumfang von SMS group gehörte das integrierte Bandsteuerungspaket, bestehend aus mechanischen Seitenführungen, Regelungsstrategien zur Walzenausrichtung und kamerabasierten Messsystemen für ein Echtzeit-Feedback zur Bandposition. Auf den Fertiggerüsten (F2 bis F7) wurden sechs X-Pact® Sense hotCAMs montiert, die speziell für den Betrieb unter rauen Umgebungsbedingungen wie hoher Bandtemperatur, Nebel, Dampf, Staub und Vibrationen ausgelegt sind und eine Sicht auf das Band im Schlingenheber zwischen den Gerüsten ermöglichen.

Neue Steuerung liefert Korrektursignale für jedes Gerüst

X-Pact® Centerline Control verwendet einen Algorithmus zur Berechnung von Bandmittenabweichungen und stellt ein Korrektursignal für die Walzgerüste bereit. Für die verschiedenen Walzfolgen (Anfang, Bandmitte, Ende) werden unterschiedliche Regelverfahren eingesetzt. Der reibungslose Übergang zwischen den Regelfunktionen in jeder einzelnen Phase ist sichergestellt und die Bediener werden durch entsprechende visuelle Darstellungen unterstützt. So werden ungeplante Walzenwechsel reduziert und die Walzstabilität über die gesamte Warmbandstraße verbessert. Weniger Probleme am Bandende beim Dünnbandwalzen sowie eine verbesserte Bandoberfläche und Bandgeometrie, insbesondere im Hinblick auf die Bandkeiligkeit, gewährleisten eine qualitativ hochwertige Produktion. Darüber hinaus fallen weniger Coils zur Nacharbeit an und es werden weniger Ersatzteile benötigt, so dass der Instandhaltungsaufwand bei Çolakoğlu Metalurji deutlich reduziert und somit die Produktivität der Warmbandstraße gesteigert wird.

„Die umfassende Inbetriebnahme-Kompetenz von SMS group sowie das neu entwickelte technologische Konzept zur integrierten Bandführung waren entscheidende Faktoren für die Wahl von SMS group als Partner. Die Installation von Bandführungen und Mittenregelung ist ein echter Game Changer für unsere Anlage. Wir sehen Verbesserungen bei der Walzstabilität, der Coilform und der Bandplanheit und können unseren Instandhaltungsaufwand reduzieren", sagte Özgür Özsoy, Werksleiter bei Çolakoğlu Metalurji, nach der erfolgreichen Modernisierung.

Als Partner für integrierte Lösungen stellt sich SMS group der Herausforderung, den Weg für das autonome Walzen zu ebnen und die Leistung der Kundenanlagen über die gesamte Lebensdauer zu verbessern. Dank intensiver Vorbereitung und enger Zusammenarbeit beider Partner konnte die Modernisierung während der regulären wöchentlichen und jährlichen Stillstände ohne zusätzliche Stillstandszeiten durchgeführt werden.

Der Schlüssel zum schnellen Hochfahren der kompakten Warmbandstraße bei Çolakoğlu Metalurji, die 2011 von SMS group in Betrieb genommen wurde, lag bereits in der perfekten Abstimmung zwischen mechanischer Ausrüstung und Automationssystemen. Zu den wesentlichen Einrichtungen der Walzstraße gehören das Quarto-Reversiervorgerüst mit Staucher, eine dornlose Coilbox, eine siebengerüstige Fertigstraße, eine laminare Bandkühlstrecke, zwei vollhydraulische Haspel und ein Palettentransportsystem. Die Anlage ist für eine Jahresleistung von drei Millionen Tonnen ausgelegt und produziert Warmband mit einer Breite von 800 bis zu 1.650 Millimetern und einer Dicke von 1,2 bis zu 25,4 Millimetern. Außerdem kann dünnes Band bis zu 1,1 Millimeter produziert werden. Mit der neuen Technologie von SMS group festigt Çolakoğlu Metalurji seine Marktposition bei der Produktion von dünnem Warmband.

SMS group

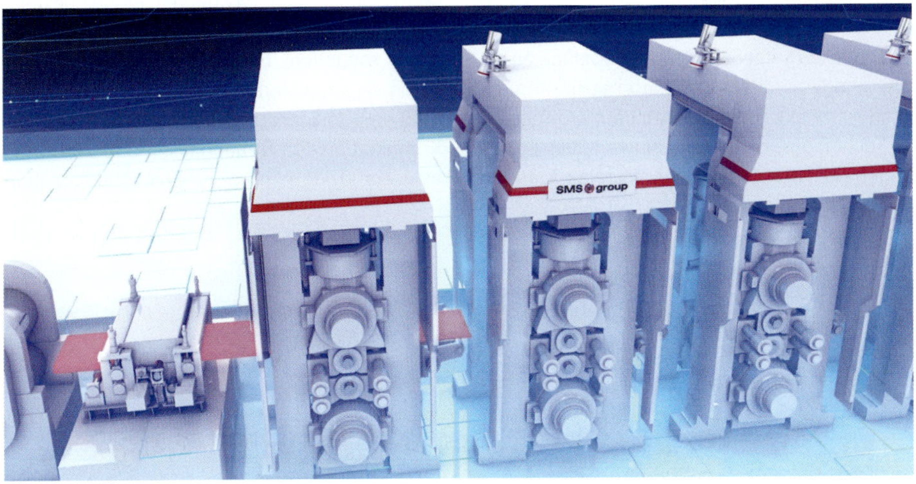

Die Kameras sind oben auf den Fertiggerüsten angebracht und bieten eine Sicht auf das Band im Schlingenheber zwischen den Gerüsten (Bild: SMS group)

ANLAGENBAU

Technologiesprung bei integriertem Gießen und Walzen von Flachprodukten

CSP® Nexus markiert den nächsten bedeutenden Fortschritt in der Gieß- und Walztechnologie für Flachprodukte. Drei bereits erfolgreich installierte Referenzanlagen belegen die Flexibilität des Konzepts. Diese Anlagen stehen bei Steel Dynamics, Inc (SDI) in den USA, bei JSW Steel Dolvi Works in Indien und bei H2 Green Steel in Schweden. SMS group zielt dabei darauf ab, integrierte analoge und digitale Lösungen den Kunden bereitzustellen.

Dekarbonisierung, Digitalisierung und Flexibilisierung – diese drei wichtigen Zukunftstrends bestimmen den Wandel in der Stahlindustrie. Doch welche Technologien und Strategien kommen hierbei zum Einsatz? Nach der wegweisenden Entwicklung der CSP®-Technologie Ende der 1980er Jahre, welche die Integration von Gieß- und Walzprozessen ermöglichte, stellt CSP® Nexus den nächsten bedeutenden Fortschritt dar und ist dabei weit mehr als nur eine technologische Weiterentwicklung. Mit CSP® Nexus setzt SMS group Maßstäbe bei Klima- und Umweltschutz, Automatisierung und Produktvielfalt. Anlagenbetreibern eröffnet diese Technologie neue Perspektiven. Sich schnell ändernde Anforderungen in volatilen Märkten, die Reduzierung des ökologischen Fußabdrucks, das volle Ausschöpfen von Digitalisierungsmöglichkeiten oder eine Optimierung in Sachen Flexibilität – für all diese Herausforderungen ist CSP® Nexus die ideale Lösung.

Es war eine Revolution in der Produktion von Stahlbändern: 1989 ging bei Nucor in Crawfordsville (USA) die erste Kompaktanlage zum Gießen und Walzen von Stahlband in Betrieb. Mit diesem neuen Anlagentyp, heute weltweit bekannt unter der Bezeichnung CSP® (kurz für Compact Strip Production), hat die SMS group eine vollkommen neue Herangehensweise an die Produktion von Stahlband etabliert. Die Idee der Kombination von Stranggießen und Walzen in einer kompakten Anlage zur Erzeugung von qua-

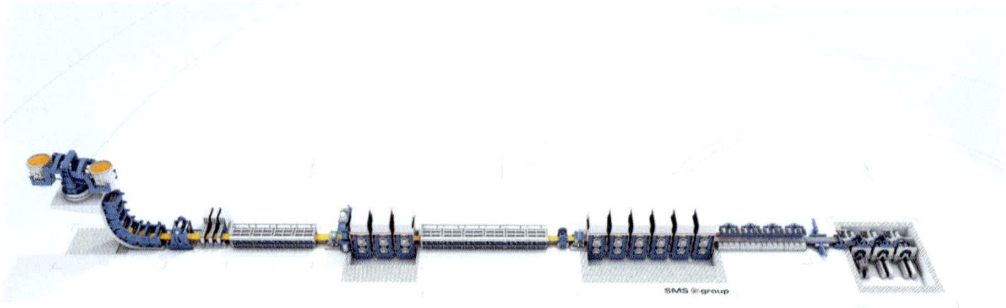

CSP® Nexus bei JSW Steel Dolvi Works in Indien (Bild: SMS group)

litativ hochwertigem Band spart dem Betreiber erhebliche Investitions- und Betriebskosten. Durch den unmittelbaren Einsatz der Gießwärme für den nachfolgenden Walzprozess werden jedoch nicht nur die Energiekosten gesenkt: Im Laufe der Jahrzehnte, in denen CSP®-Anlagen in Betrieb sind, konnten auf diese Weise weltweit enorme Mengen an CO_2 eingespart werden.

Der Weg in die Zukunft hat bereits begonnen

Gemeinsam mit ihren Kunden geht die SMS group nun den nächsten Schritt: CSP® Nexus. Diese neue Technologie eröffnet in der Bandproduktion bisher ungeahnte Möglichkeiten zur Erreichung von Nachhaltigkeits- und Digitalisierungszielen. Genau wie die Vorgängertechnologie im Jahr 1989 markiert CSP® Nexus einen Paradigmenwechsel. Im Einklang mit dem „Net-Zero-Emissions 2050"-Szenario der IEA trägt die CSP® Nexus-Technologie bereits zur Dekarbonisierung der Stahlindustrie bei. Gleichzeitig ist CSP® Nexus mit intelligenter Technik ausgestattet, die im Rahmen des ganzheitlichen Digitalisierungspakets von SMS für optimale Produktionsprozesse sorgt.

An drei Standorten ist CSP® Nexus bereits in der Praxis implementiert; weitere Projekte stehen kurz vor dem Abschluss der Inbetriebnahme. Die auf drei verschiedenen Kontinenten realisierten Anlagen für Steel Dynamics, H2 Green Steel und JSW Steel belegen eindrucksvoll die globale Relevanz der neuen CSP® Nexus-Technologie – nicht nur in Sachen Wirtschaftlichkeit und Nachhaltigkeit, sondern auch hinsichtlich ihrer herausragenden Flexibilität. Die Kunden setzen in der Art und Weise, wie sie ihre Anlagen betreiben, verschiedene strategische Schwerpunkte.

Trotz der darin begründeten Unterschiede zwischen den drei bisher implementierten Referenzanlagen ist die technologische Basis der Grundstein für den Erfolg von CSP® Nexus. Im Zentrum stehen dabei:

- eine leistungsstarke Gießmaschine,
- der entkoppelte Walzprozess mit einer zusätzlichen, zweigerüstigen Vorstraße,
- sowie ein flexibles Ofenkonzept, das mit Erdgas, Wasserstoff oder ausschließlich mit Strom betrieben wird.

Bei Steel Dynamics Inc., USA zuerst im Einsatz

Im Jahr 2021 hat Steel Dynamics, Inc (SDI) am US-Standort Sinton die weltweit erste CSP® Nexus-Anlage in Betrieb genommen und damit einen Meilenstein für die zukunftsorientierte Stahlherstellung gesetzt. Dieser Schritt war nicht nur der Startschuss für eine neue Generation von CSP®-Anlagen, sondern auch ein Beweis für die Stärken der neuen Technologie, die Steel Dynamics von Anfang an für sich nutzen konnte. Die Anlage ist für eine Jahresproduktion von 2,7 Millionen Tonnen Warmband ausgelegt. Steel Dynamics' hohe Erwartungen an die Technologie erfüllt die CSP® Nexus vollumfänglich. Dazu gehören insbesondere die Anpassungsfähigkeit der Temperaturführung und die hohe Walzkraft von Vor- und Fertigstraße. Vor und hinter der zweigerüstigen Vorstraße ist jeweils ein Rollenherdofen angeordnet. Mit diesem Konzept können die Gieß-, Vorwalz- und Fertigwalzprozesse flexibel und unabhängig voneinander gestaltet werden. Dies schafft ideale Voraussetzungen, um ohne großen Aufwand optimale und maßgeschneiderte Prozesse für verschiedene Stahlgüten und Produktabmessungen zu realisieren.

Das integrierte Zusammenspiel von Automatisierungs- und Steuerungssystemen, das eine präzise Steuerung über den gesamten Produktionsprozess hinweg ermöglicht, sorgt für gleichbleibend hohe Qualität. Außerdem ist die CSP® Nexus-Anlage mit einem Paket digitaler Lösungen ausgestattet. Dazu gehört unter anderem das Quality Execution System (QES), welches dafür sorgt, dass die spezifischen Qualitätsanforderungen der Kunden von Steek Dynamics erfüllt werden. Die Anlagenvisualisierung (Plant Visualization System, kurz PVS) stellt alle notwendigen Informationen klar und verständlich zur Verfügung und unterstützt auf diese Weise das Instandhaltungspersonal. Komplettiert wird das Paket durch den Smart Alarm, der eine Übersicht über aktuelle Warnungen oder aufkommende Komplikationen bietet und so die Verfügbarkeit der Anlage erhöht.

Erstmals vollelektrisch bei H2 Green Steel

Das Projekt H2 Green Steel im schwedischen Boden markiert als erstes vollständig elektrisches Stahlwerk in Europa einen bedeutenden Meilenstein für die Stahlindustrie. Kernelement der Flachstahlproduktion in diesem innovativen Werk ist die CSP® Nexus-Anlage. Sie versetzt das Unternehmen H2 Green Steel in die Lage, ein breites Produktspektrum einschließlich hochfester Stähle sowie anspruchsvoller Stahlgüten für die Automobilindustrie herzustellen. Die Besonderheit: Die neue Anlage setzt ausschließlich auf Strom als einzige Energiequelle für die Heizprozesse. Hierbei wird eine Kombination von Widerstandsöfen eingesetzt, die durchgehend für ein gleichmäßiges Temperaturniveau sorgen. Ergänzt wird das Konzept durch induktive Heizmodule, die gezielt aktiviert werden, um die spezifischen Anforderungen der Endprodukte zu erfüllen. Insgesamt werden für diesen Prozess ca. 23 kWh/t benötigt. Der Warmwalzprozess macht mit ca. circa 47 kWh/t den größten Anteil des Energieverbrauchs aus; der Gesamtverbrauch der Hauptprozesse liegt im Durchschnitt bei 70 kWh/t.

Um die Produktion auf der CSP® Nexus-Anlage so energieeffizient wie möglich zu gestalten, hat SMS das X-Pact® Integrated Process Model in die Level 2-Automatisierung der Anlage integriert, das die konventionellen Level 2-Modelle wie X-Pact® Pass Schedule Calculation (PSC®) für die Stichplanberechnung oder X-Pact® Cooling Section Control für die Kühlstreckenregelung koordiniert. Das integrierte Prozessmodell betrachtet den Prozess als Ganzes, einschließlich des gesamten Temperaturverlaufes bis zum finalen Aufwickeln des Bandes auf dem Haspel. In Abhängigkeit vom Produktionsplan und den gewünschten mechanischen Eigenschaften können auf diese Weise die Ofentemperaturen so niedrig wie möglich eingestellt werden.

Um eine bessere Effizienz zu erreichen und Prozesse zu rationalisieren, vertraut H2 Green Steel auf das umfassende Digitalisierungspaket von SMS. Als zentrale Datenplattform sammelt die SMS DataFactory Suite alle Daten und Signale der Anlage und ihren Automatisierungssystemen. Diese Daten werden dann an die entsprechenden Manufacturing Execution-Systeme (MES) weitergegeben, mit denen H2 Green Steel die Produktionsprozesse plant. Darüber hinaus werden die Daten aus dem Quality Execution System (QES) für das Qualitätsmanagement verwendet, um die Produkt- und Prozessqualität entlang der gesamten Produktionskette zu überwachen, sicherzustellen und zu dokumentieren. Dank Echtzeitdaten in Kombination mit einer intelligenten Analytik optimiert H2 Green Steel alle Prozesse und steigert somit Effizienz und Produktivität.

Darüber hinaus wird die SMS group für die Kokillen- und Segmentwerkstatt für die CSP® Nexus-Gießanlage, die Walzenwerkstatt für das CSP® Nexus-Warmwalzwerk sowie die Walzenwerkstatt für die Beiz-/Tandemstraße und das Dressierwalzwerk verantwortlich sein. Zu diesem Zweck haben H2 Green Steel und SMS group einen entsprechenden Vertrag mit einer Laufzeit von zunächst 12 Jahren unterzeichnet.

Band im Grobblechformat bei JSW Steel Dolvi Works

Für JSW Steel Dolvi Works eröffnet die CSP® Nexus-Anlage am indischen Standort Maharashtra völlig neue Perspektiven in Sachen Flexibilität. Mit der neuen Anlage ist es nun erstmals möglich, auf ein und derselben Anlage sowohl Warmband in konventionellen Abmessungen als auch mit den entsprechenden Breiten und Dicken für die Produktion von Grobblech zu produzieren, das im Schiffbau, in Windturbinen oder z. B. für API-Rohrgüten zum Einsatz kommt. Mit Dicken von 2 bis 32 Millimetern und maximalen Breiten von bis zu 2.600 Millimetern verschafft das CSP® Nexus-Konzept JSW Dolvi eine bisher unerreichte Flexibilität im Produktportfolio – mit nur einer einzigen Anlage. Dank der neuen Technologie kann JSW auf Marktveränderungen und eine vorhandene Nachfrage sofort mit den passenden Produkten reagieren.

Die maximale Jahreskapazität der Anlage beträgt 4 Millionen Tonnen und kann durch den zukünftigen Anbau eines weiteren Gießstrangs um weitere 3 Millionen Tonnen erhöht werden. JSW Steel Dolvi Works ist damit in der Lage, zu attraktiven Bedingungen neue Marktsegmente zu erschließen, insbesondere in wachsenden Märkten für nachhaltig hergestellte grüne Stahlprodukte.

Die fortschrittlichen digitalen Lösungen von SMS group leisten einen wesentlichen Beitrag zu einem umweltfreundlichen und effizienten Anlagenbetrieb. Durch die Implementierung der SMS DataFactory, dem QES-Qualitätsmanagementsystem und der Zustandsüberwachungssoftware Genius CM profitiert JSW von beachtlichen Verbesserungen bei der Minimierung des Energieverbrauchs, bei Produktionsprognosen und bei der Zustandsüberwachung. Die intelligenten Tools ermöglichen eine weitreichende Datenerfassung und -analyse und unterstützen somit eine äußerst fundierte Entscheidungsfindung, wodurch sowohl die Produktqualität als auch das Produktionsvolumen deutlich optimiert werden.

Das in den einzelnen Modellen abgebildete Fachwissen über die Prozessbedingungen beinhaltet auch die optimalen Kühlparameter von X-Pact® Solid Control, dem prädiktiven und dynamischen Prozessmodell von SMS group für optimierte Kühlstrategien in der Stranggießanlage. Dieser Ansatz sorgt für maximale Temperaturhomogenität über die gesamte Bandlänge, wodurch ideale mechanische Eigenschaften erzielt werden. Zusammen mit zahlreichen Prozessleitsystemen und Prozessmodellen bietet die X-Pact® Centerline Control eine integrierte Bandlaufregelung, die die Stabilität des Walzprozesses in der Fertigstraße sicherstellt und dabei hilft, die Herausforderungen des autonomen Walzprozesses zu meistern.

Die CSP®-Technologie ist für JSW Steel Dolvi Works nicht neu. JSW Dolvi und SMS group pflegen bereits seit vielen Jahrzehnten eine enge Partnerschaft: So wurde schon 1998 bei

CSP® Nexus ist der aktuelle Stand für Kompaktanlagen zum Gießen und Walzen von Stahlband (Bild: SMS group)

Der Kocks Zwischenstraßenblock iRSB® (Bild: Kocks)

ANLAGENTECHNIK VON KOCKS

Mit dem 3-Walzen Zwischenstraßenblock zu neuen Potenzialen in Walzwerken

Der Zwischenstraßenblock iRSB® von Kocks positioniert sich in der SBQ Spezialstahlproduktion als fortschrittliche Lösung für Walzwerksbetreiber. Mit größtmöglicher Flexibilität und Effizienz erschließt die bekannte Kocks 3-Walzentechnologie nun auch als Zwischenstraßenblock vor allem in bestehenden Walzwerken neue Potenziale.

Die Merkmale des Zwischenstraßenblocks iRSB® sind vielfältig: Querschnittsreduktionen auf engstem Raum, Eliminierung von Schlingentischen, schnellste Abmessungs- sowie vollautomatischer Gerüstwechsel, perfekt voreingestellte Gerüste und Führungen, keine Testknüppel, Einkaliberfamilie sowie hohe Verfügbarkeit und maximale Sicherheit in der Walzstraße für die Bediener zeichnen die Anlage aus. Üblicherweise wird die Kocks 3-Walzentechnologie unter anderem in SBQ-Straßen als Fertigblock zum flexiblen Walzen von geradem Stabstahl oder Stabstahl in Bunden sowie als Vorwalzwerk zum Walzen von Drahtfertigabmessungen eingesetzt.

Kürzere Stillstandszeiten

Der iRSB® ermöglicht die Integration der leistungsfähigen 3-Walzengerüste als Zwischenwalzwerk, idealerweise in Verbindung mit einem Reduzier- und Sizingblock des Typs RSB. Das Anlagenkonzept wurde entwickelt, um konventionelle Duo-Gerüste in einer Zwischenwalzstraße zu ersetzen. Dies ergibt nicht nur große Vorteile im späteren Betrieb, sondern bringt auch stark vereinfachte Fundamentarbeiten und kürzeste Stillstandszeiten beim Einbau des iRSB® in die Walzstraße mit sich. Modernisierungen in einer Zwischenstraße, einschließlich aller verbundenen Installations- und Inbetriebnahmearbeiten, gehen typischerweise mit langen Stillstandszeiten einher.

„Die Demontage des vorhandenen Equipments, umfangreiche Fundamentarbeiten, die Installation der mechanischen Ausrüstung wie neue Duo-Gerüste, Schlingentische und ggf. von Scheren einschließlich der Verrohrung sowie der Installation der Elektrik und Automatisierung, die erforderlichen umfangreichen Kalttests sowie die Inbetriebnahme der einzelnen Komponenten inklusive Sensorik nehmen in Summe sehr viel Stillstandszeit in Anspruch", erklärt Günther Schnell, Geschäftsführer beim Walzwerksspezialisten Kocks. Viele der Arbeiten lassen sich nur bei einem Stillstand der Produktion durchführen.

Hier setzt man mit dem iRSB® neue Maßstäbe und bietet Walzwerksbetreibern eine äußerst kompakte Anlage, die vorgetestet, vorverkabelt und vorverrohrt angeliefert wird. Wie bei der erfolgreichen RSB® Baureihe, setzt man auf die bewährte Kocks 3-Walzentechnologie. Für den Antrieb kommt u.a. das StarDrive-System von Kocks zum Einsatz, bei dem alle Walzen in den Gerüsten über eigene Motoren verfügen. Das Zwischenwalzwerk ist in mehreren Baugrößen verfügbar. Aufbau und Anzahl der Walzgerüste orientieren sich dabei an den zu produzierenden Vorfertig- bzw. Fertigabmessungen. Denn mit dem iRSB® lassen sich wahlweise bestimmte Abmessungen bereits im Zwischenwalzwerk „fertig" walzen. Mit diesem modularen Maschinenkonzept können laut Günther Schnell individuelle Faktoren einer bestehenden Walzlinie in der technischen Auslegung optimal berücksichtigt werden.

Aufgrund des für Kocks typischen kompakten „Blockes" fallen bei der Installation eines iRSB®

Inbetriebnahme des iRSB® auf kleinstem Raum (Bild: Kocks)

Kocks iRSB® im Walzbetrieb (Bild: Kocks)

deutlich weniger Fundament- und Verrohrungsarbeiten an, als bei einer alternativen Installation neuer Duo-Gerüste. Das sehr kompakte Design erlaubt höchste Reduktion auf kleinstem Raum und schafft damit sogar Platz in der Walzlinie für Kühl- und Temperaturausgleichsstrecken oder andere Walzwerkseinrichtungen wie Scheren oder Messgeräte. Bei einem Austausch von acht Duo-Gerüsten durch einen ebenfalls achtgerüstigen iRSB® mit einem Platzbedarf von ca. 6,5 m in Längsrichtung, konnte der Zugewinn von ca. 35 m metallurgischer Prozesslänge bei einem amerikanischen Produzenten von Spezialstählen realisiert werden. Ein großer Vorteil, denn gerade in bestehenden Walzwerken ist diese „Prozesslänge" oftmals durch die bestehenden vor- und nachgelagerten Anlagen begrenzt. In diesem herausfordernden Zusammenspiel verschiedenster Einrichtungen in der Walzstraße lassen sich mit dem iRSB® neue Freiheitsgrade schaffen.

Multitalent in der Zwischenstraße

Mit dem Ersetzen von Duo-Gerüsten und einem Einsatz von 3-Walzengerüsten in der Zwischenstraße, erschließen Walzwerkbetreiber nicht nur in der Modernisierung, sondern auch im späteren Betrieb neue Freiheitsgrade. „Wir haben in den 80igern und 90igern schon erfolgreich Projekte mit zwei und drei Kocks-Blöcken in einer Tandem-Anordnung umgesetzt. Dies hat auf Grund der komplexen Mechanik zu einem sehr hohen Investment geführt, so dass diese Lösungen ab den frühen 2000ern nur noch sporadisch realisiert wurden. Durch die Weiterentwicklungen in der Motoren- und Antriebstechnik können nun durch das angepasste Antriebskonzept wieder die vielfältigen Vorteile und Möglichkeiten eines Kocks Zwischenstraßenblockes auf engstem Bauraum genutzt werden. Mit dem iRSB® haben wir dieses bewährte Konzept wieder aufgegriffen und konsequent weitergedacht", erläutert Günther Schnell den Hintergrund der Entwicklung im Hause Kocks.

Die Flexibilität im Walzwerk lässt sich mit einem 3-Walzenblock deutlich steigern. Notwendige, manuelle Eingriffe oder Kranmanipulationen an der Walzstraße für den Gerüst- und Führungswechsel in der Zwischenstraße entfallen, da diese vollautomatisch erfolgen können. Auch im iRSB® können Verschleißanpassungen durch eine Fernanstellung vollautomatisch von der Steuerbühne aus erfolgen – ebenso wie komplette Abmessungswechsel. Der Wechsel eines Vorrunds innerhalb einer Kaliberfamilie kann ebenfalls hochautomatisiert innerhalb von wenigen Minuten durch einen Schnellwechsel der Gerüste erfolgen. Weder ein Kran noch weiteres Walzwerkspersonal in der Walzlinie ist dazu notwendig. Das sind wesentliche Faktoren, die die Sicherheit des Walzwerkspersonals auf dem Hüttenflur erhöhen und die auch wesentlich auf die Produktivität einzahlen.

Durch die mittels der 3-Walzengerüste ebenso gesteigerte Reduktionsfähigkeit in der Zwischenstraße lassen sich mit dem iRSB® ohne aufwendige Modifikationen Belastungen der vor- und/oder nachgelagerten Walzeinrichtungen verlagern. Alternative Knüppelgrößen sowie anspruchsvollere Stahlgüten sind möglich. Der gesamte Walzprozess wird stark vereinfacht und die Qualität des Fertigproduktes lässt sich dabei steigern. „Stahlgütenwechsel mit unterschiedlichem Breitungsverhalten werden durch die gleichmäßige Vorverformung mittels der 3-Walzen-Geometrie weitgehend kompensiert, was ein stabiles Vorrund und ein perfektes Fertigformat mit hervorragender Oberfläche und Qualität aus dem Zwischenwalzwerk ermöglicht", erläutert Günther Schnell.

Als digitales Werkzeug für den Walzenwechsel und verbundene Werkstattprozesse kommt der Block im Standard mit der weiterentwickelten Bamicon Octopus Hardware- und Software. Für die anspruchsvollen Abläufe in der Walzenwerkstatt entwickelt, leitet die Software das Bedien- und Werkstattpersonal durch die einzelnen Arbeitsschritte und unterstützt ganzheitlich beim Set-up der 3-Walzengerüste und 3-Rollenführungen sowie dem gesamten Trichtermanagement bei der Planung und Vorbereitung der Produktion.

Neues Potenzial im Walzwerk bei Nucor Steel

In der Tandem-Anordnung mit einem bestehenden RSB® hat der Stahlhersteller Nucor Steel Nebraska einen iRSB® 370++ mit acht Gerüstplätzen in seiner Zwischenstraße in Betrieb genommen. Nucor Steel ist einer der größten Stahlproduzenten der USA. Das Werk in Nebraska wurde 1979 gebaut und produziert Qualitätsstahl in Form von geradem Stabstahl und BIC-Produkten sowie Walzdraht.

Zunächst plante Nucor, die bisherige Zwischenwalzstraße durch neue konventionelle Duo-Gerüste zu ersetzen. Nach der Definition des genauen Projektumfangs und der technischen Anforderungen präsentierte Kocks ein Konzept auf Basis des iRSB® als Kombination aus Zwischenwalzwerk und Fertigblock. Die 3-Walzentechnologie mit ihren Freiheitsgraden bewährte sich im Entscheidungsprozess gegenüber einer Modernisierung der Zwischenstraße mit Duo-Gerüsten. „Unter Berücksichtigung der verschiedenen Faktoren in Hinblick auf den Modernisierungsaufwand, als auch auf den späteren Betrieb entschied man sich im Projektteam für die Installation unseres iRSB®", erinnert sich Günther Schnell.

Die Integration des iRSB® resultiert bei Nucor Steel in einem gesamtheitlich verbesserten Walzwerkskonzept. Die Qualität, Flexibilität, Produktivität und Sicherheit konnte man mit der Modernisierung steigern. Gerade der Sicherheitsaspekt bzgl. des Wegfalls von Schlingentischen sowie die Integration des iRSB® in das Walzwerkskonzept verbessert die Verfügbarkeit der Walzstrasse. Weiterhin wird die Sicherheit

Günther Schnell, Geschäftsführer beim Walzwerksspezialisten Kocks (Bild: Kocks)

des Bedienpersonals erheblich erhöht, da sich während des Betriebs und in den Walzpausen weniger Bediener an der Walzstrasse aufhalten müssen und notwendige Walzspaltanstellungen sowie Gerüstwechsel vollautomatisch erfolgen.

Zukunftsfähigkeit im Standard

Insgesamt ist das RSB® Zwischenwalzwerk eine einzigartige Lösung, die den Weg für eine vereinfachte und effiziente Spezialstahlproduktion ebnet. Mit der 3-Walzentechnologie lassen sich bestehende Walzwerkskonzepte mit den verschiedenste Zielsetzungen optimieren, ohne dabei Anpassungen an bestehenden Walzwerkseinrichtungen vornehmen zu müssen. Der iRSB® kann mit dem Zugewinn an Flexibilität in Walzwerk und Werkstatt damit auch einen wichtigen Beitrag für die Zukunftsfähigkeit von SBQ-Walzwerken leisten. Der iRSB® positioniert sich damit als Schlüsselkomponente für die Weiterentwicklung der Spezialstahlindustrie und setzt bei Walzwerksbetreibern neue Maßstäbe durch den Einsatz der Kocks 3-Walzentechnologie.

Kocks Gruppe

AUS DER PRAXIS DER NACHHALTIGKEIT

Das Prinzip Kreislaufwirtschaft bei Feralpi Stahl

Der von Feralpi erzeugte Stahl besteht zu fast 99 Prozent aus recyceltem Material. Damit leistet das Riesaer Unternehmen einen wichtigen Beitrag zur Kreislaufwirtschaft, hält den Verbrauch natürlicher Rohstoffe, wie Eisenerz, gering und verhindert, dass Alteisen in die Umwelt gelangt. Das auf Nachhaltigkeit ausgerichtete Unternehmenskonzept soll langfristig Bestand haben. Aus diesem Grund wurden bereits mehrere Investitionsprojekte auf den Weg gebracht – alle mit dem Ziel, noch effizienter und nachhaltiger zu produzieren.

Im sächsischen Riesa, der heutigen Heimat von Feralpi Stahl, wurden seit der Unternehmensgründung 1992 rund 24 Millionen Tonnen Schrott zu Stahl verarbeitet. „Die Verbesserung der CO_2-Bilanz zählt zu den primären Zielen im Rahmen der Feralpi-ESG-Strategie", erklärt der Präsident der Feralpi Group, Giuseppe Pasini. „In unseren zukünftigen Geschäftsjahren sind klare Schlüsselkennzahlen für den Umweltbereich mit einer harmonischen Verbindung von Nachhaltigkeit und Wettbewerbsfähigkeit festgeschrieben. Diese Investition ist Teil eines weit umfassenderen Maßnahmenpakets, das die Kontinuität unserer verantwortungsvollen Unternehmensentwicklung und die Wertschöpfung für unseren Markt und unsere Stakeholder gewährleisten soll."

Gezielte Investitionen in die Zukunft

Rund 220 Millionen Euro investiert Feralpi Stahl in den nächsten vier Jahren für seinen grünen

Gelände von Feralpi Stahl (Foto: Feralpi Stahl)

Stahl. Mit verschiedenen Maßnahmen im Kreislaufprozess der Stahlherstellung und dessen Verarbeitung versucht das Riesaer Unternehmen, Schadstoffe bis an die Grenze der Nachweisbarkeit zu reduzieren und Immissionswerte zu senken. Die Maßnahmen beginnen bei der Schrottlaufbereitung, reichen über die Energieeffizienz bis hin zu Kreislaufwirtschaft und Digitalisierung.

Weniger Schadstoffbelastung im Produktionsprozess

Eines der Investitionsvorhaben der nächsten Jahre ist die Aufbereitung des Schrotts als Rohstoff für die Stahlproduktion. Zahlreiche eng aufeinander abgestimmte Zerkleinerungs- und Separationsanlagen trennen und säubern den angelieferten Rohstoff Schrott von Verunreinigungen. So wird die Schrottqualität deutlich verbessert und die Stückigkeit homogenisiert. Dr. Mathias Schreiber, Direktor Integriertes Managementsystem bei Feralpi Stahl erklärt: „Die verbesserte Schrottaufbereitung erhöht auch die Schrottdichte. Das führt in Verbindung mit einer automatisierten Schrottkorbbeschickung zu einem wesentlich stabileren Beladungsprozess und einer Senkung des Ressourcenverbrauchs. Diese optimierte Befüllung des

Giuseppe Pasini, Präsident der Feralpi Group
(Foto: Feralpi)

E-Ofens erlaubt die Umstellung der bisherigen drei- auf eine zwei-Schrottkorb-Fahrweise – und senkt die Energieverluste beim Schrotteinsatz."

Im Produktionsprozess des Stahlwerks fallen damit weniger Filterstaub und Schlacke an. Gleichzeitig wird der Eintrag schädlicher Begleitelemente, wie Schwermetalle und organische Schadstoffe, im Schmelzofen verringert. Aus den bei der Schrottsortierung nicht verwertbaren Materialien lassen sich Nichteisenmetalle zurückgewinnen und weiter nutzen. Die Einhausung der gesamten Anlage senkt zudem die Staub- und Lärmemissionen.

Zehn Jahre Transformation zum grünen Stahl „Made in Riesa"

- 2012: EMAS-Zertifizierung – höchstes Umwelt-Gütesiegel der EU (in Folge bis 2023)
- 2013: Sächsischer Umweltpreis für die Dampf- und Energieerzeugungsanlage (Abwärmenutzung)
- 2014: Beginn Direkteinsatz Stranggussknüppel im bestehenden Walzwerk A
- 2015: Einsatz der Magnettrommel für die Scherenschrottaufbereitung
- 2018: Aufnahme des Unternehmens in die Exzellenzinitiative „Klimaschutz-Unternehmen e.V."
- 2018: Beginn der Optimierung Schrottlogistik
- 2020: Emissionssenkung in der Feralpi-Logistik durch neue Fahrzeuge
- 2021: Errichtung der geschlossenen Annahme-, Aufbereitungs- und Umschlagshalle der Schrottlogistik
- 2022: Gründung der Energie- und Wasserstoff-Allianz (EWI) im Industriebogen Meißen
- 2023: Fertigstellung neues Schrottkonzept und Einhausung der Schrotthalle, Phase I

> „Trotz der hohen Energiepreise versuchen wir, mit Energieeffizienz und intelligenten Fahrweisen dem entgegenzuwirken. Für das Gelingen der Transformation brauchen wir jetzt einen Brücken-strompreis und langfristig sinnvolle Förderprogramme für die Dekarbonisierung."
>
> *Uwe Reinecke, Direktor Feralpi Stahl in Riesa*

Moderne Entstaubungsanlagen filtern mittels Direktabsaugung die Rohgase aus dem E-Ofen und über die Sekundärabsaugung den Staub aus der Produktionshalle. Das von Feralpi Stahl entwickelte, umweltschonende Verfahren zur effektiven Abgasreinigung ist in die BREF-Liste der EU als „Beste Verfügbare Technik" aufgenommen worden. Mit dieser Methode lässt sich die Schadstoffbelastung der Abluft auf ein geringes, umweltverträgliches Niveau reduzieren.

Nutzung von Abwärme und Wasser

Die Abwärme der Direktabsaugung aus dem E-Ofen nutzt das Stahlwerk zur Eigenstromerzeugung und zur Dampfbereitstellung für ein nahegelegenes Reifenwerk. Die Abwärme aus den Druckluftkompressoren wird für die Beheizung der Bürogebäude und die Warmwasseraufbereitung eingesetzt. Über die Energierückgewinnung vom Elektrolichtbogenofen konnten allein im Jahr 2020 fast 20 GWh Strom und Dampf zurückgewonnen werden.

Mit einer optimierten Kreislaufführung des Kühlwassers und der Nutzung des Regenwassers minimiert das Unternehmen die Entnahme von öffentlichem Wasser und schont damit natürliche Ressourcen. Weniger als 4 Prozent des Kühlkreislaufwassers wird als Abwasser mit dem Zweck der Absalzung ausgeschleust, sodass mehr als 96 % des Wassers zurückgewonnen und wieder eingesetzt wird.

Effizienz beim Warmwalzen

Auch das Walzwerk sichert eine emissionsärmere Produktion: Der Heißeinsatz gegossener Knüppel aus dem Stahlwerk senkt den Erdgasverbrauch des Hubherdofens. Die Stahlknüppel kühlen dadurch nicht zu stark ab und müssen nicht erneut aufgeheizt werden.

E-Ofen: Aus 115 t Schrott werden pro Charge ca. 110 t flüssiger Stahl (Foto: Feralpi Stahl)

Die neue Schrottaufbereitungsanlage (Foto: Feralpi Stahl)

Das neue, emissionsfreie Spooler-Warmwalzwerk wird den heute bereits mehr produzierten Stahl verarbeiten können. Statt der rund 1 Million Tonnen Stahl pro Jahr wird die Stahlproduktion auf rund 1,3 Millionen Tonnen steigen. Mit dem direktgespulten Bewehrungsstahl entsteht aber auch ein neues Produkt: Die Bearbeitung des Stahls erfolgt durch thermomechanisches Walzen, dem Soft-Quenching, das eine hohe Materialgüte sicherstellt. Die konventionelle Kaltweiterverarbeitung mittels Recken und Spulen entfällt.

Das eingesetzte Verfahren des Knüppel-Schweißens ermöglicht ein quasi Endloswalzen – und garantiert so einen stabilen Prozess mit geringem Verschnitt. Ähnlich wie im alten Walzwerk erfolgt auch hier ein Heißeinsatz der Knüppel, der die Resttemperatur der Gießhitze zu einhundert Prozent – und damit energiesparend – nutzt. Die heißen Knüppel werden über einen 300 Meter langen, thermisch isolierten Rollgang von der Stranggussanlage direkt ins neue Warmwalzwerk transportiert, dort nachgewärmt und weiterverarbeitet.

Uwe Reinecke, Direktor Feralpi Stahl sagt: „Knüppelschweißen und Spooler-Linie ermöglichen die Erhöhung des Coil-Gewichts von 2,5 auf 8 Tonnen. Dadurch wird eine Steigerung der Materialeffizienz von fast 5 Prozent und eine Energieeinsparung von mehr als 5 Prozent möglich."

Ein induktives Aufheizen des Stranggussmaterials wird den gasbetriebenen Ofen ersetzen. Damit bietet sich für Feralpi Stahl auch die Chance, zukünftig regenerative Energie für eine CO_2- und NO_x-emissionsfreie Produktion zu nutzen. Uwe Reinecke fügt hinzu: „Induktive Nacherwärmung verringert deutlich den Energieverbrauch und die Emissionen von CO_2 und Stickstoff pro Tonne Endprodukt. Gegenüber einer konventionellen Nacherwärmung von 850 °C auf 1050 °C mit Gas werden wir rund 80 Prozent der Energie einsparen."

Im Energieverbund

Auf dem Weg zum grünen Stahl ist der Energieträger einer der Schlüsselfaktoren: Wasserstoff soll zukünftig das Erdgas in Riesa ersetzen.

Uwe Reinecke, Direktor bei Feralpi Stahl (Foto: Feralpi Stahl)

2022 gründete Feralpi Stahl deshalb gemeinsam mit sieben anderen Industrieunternehmen der Region das Netzwerk EWI, die Energie- und Wasserstoffallianz im Industriebogen Meißen. Erstes Ergebnis der Zusammenarbeit ist, dass die geplante Wasserstoff-Pipeline in Sachsen nun näher an den Standort Riesa/Meißen und die Unternehmen geführt wird.

Im Werk von Feralpi Stahl wird der Einsatz von Wasserstoff zudem zeitnah getestet. Die Verbindung der EWI-Pipeline mit der vom Land geplanten Wasserstofftrasse über eine entsprechende Anschlussstelle wäre bis 2027 möglich. Mit diesen Maßnahmen ließen sich die CO_2-Emissionen des Werkes noch einmal deutlich senken.

Uwe Reinecke erläutert: „Trotz der hohen Energiepreise versuchen wir, mit Energieeffizienz und intelligenten Fahrweisen dem entgegenzuwirken. Für das Gelingen der Transformation brauchen wir jetzt einen Brückenstrompreis und langfristig sinnvolle Förderprogramme für die Dekarbonisierung."

Abfallverwertung

Der Maßnahmenplan für die Nachhaltigkeit setzt aber nicht nur an der Produktion, Verarbeitung und der Energieversorgung für das Produkt Stahl an, sondern bezieht auch die Abfallprodukte im Prozess zielführend mit ein. SteelZeroWaste – unter diesem Namen bündelt Feralpi alle Aktionen, die die Abfallmengen am Standort auf ein Minimum reduzieren und unvermeidbare Abfälle der Kreislaufwirtschaft zuführen sollen.

Viele Abfälle und Produktionsrückstände, wie die Ofenschlacke mit anteilig mehr als 50 Prozent, lassen sich weiter verwerten. Ofenschlacke erlaubt zum Beispiel die Einsparung natürlicher Materialien im Bausektor und ist zu einhundert Prozent recyclebar. Auch der aus der Rauchgasreinigung gewonnene Filterstaub kann dank seines hohen Zinkgehalts den Rohstoff Naturerz ersetzen.

Ähnlich bietet sich der Walzzunder mit seinem fast hundert Prozent reinen Eisenoxid als

Ersatzstoff für Eisenerz an: Das so genannte Green Iron wird in der Zementindustrie und in Werken zur Herstellung von Gegengewichten verwendet. Und letztendlich lässt sich auch das Feuerfestmaterial des Pfannenofens nach seiner Nutzung als Rohstoff wieder dem Produktionskreislauf als Schlackenbildner im Elektrolichtbogenofen zuführen.

Digital gesteuert

Die Wirksamkeit der Emissions- und Abfallreduzierung in Stahl- und Walzwerk lässt sich durch automatisierte Prozesse und eingesetzte künstliche Intelligenz weiter optimieren. Die Temperaturen im gesamten Produktionsprozess werden nicht nur mittels Sensoren überwacht, sondern vorab genau definiert und mit Empfehlungen in Echtzeit versehen. Das reduziert Temperaturschwankungen auf ein Minimum und stabilisiert den Produktionsprozess von der Stahlerzeugung bis zum Stranggießen. Mit dem neuen Walzwerk wird es dank künstlicher Intelligenz einen Datenaustausch zum bestehenden Walzwerk geben, um den Produktionsablauf zu steuern und die Produktqualität permanent online zu überwachen. Im Ergebnis lässt sich so das Temperaturniveau in der gesamten Produktion dank Digitalisierung reduzieren.

Umbau der Infrastruktur

Die geplanten Maßnahmen, vor allem auch im Zusammenhang mit dem neuen Walzwerk und der Schrottaufbereitung, erfordern einen Umbau großer Teile des Werksgeländes. Der Prozess der verbesserten Stahlerzeugung und -verarbeitung muss einen optimierten Ablauf ermöglichen.

Brachflächen und ehemalige Produktionshallen werden dazu reaktiviert: Die Erweiterung prozessbegleitender Peripherien, wie Energie und Wasser, soll die aktuelle Infrastruktur ergänzen. Auf dem Gelände entstehen unter anderem ein neues Pumpwerk und Umspannwerk mit gasisolierten Schaltanlagen. Das neue Umspannwerk ist nicht nur ein weiterer Baustein zur Versorgungssicherheit, sondern arbeitet auch CO_2-arm und damit nachhaltiger als vergleichbare Anlagen.

Arbeiten beim „Made in Riesa"

Die Investitionen für den grünen Stahl konzentrieren sich nicht nur auf Produkt und Infrastruktur, auch wenn hier der Wandel hin zu einem nachhaltig arbeitenden und umweltorientierten Unternehmen wohl am stärksten wahrzunehmen ist. Nicht zuletzt schaffen die Investitionen in den Standort auch eine spürbar engere Vernetzung des Unternehmens mit seinem Umfeld. Bereits jetzt zählt das Unternehmen mit rund 800 Mitarbeitenden zu einem der größten Arbeitgeber in der Region.

Es braucht noch mehr Menschen, die mit dem grünen Feralpi Stahl wachsen wollen. Neue Jobs warten schon: In den nächsten vier Jahren entstehen am Standort über einhundert neue Arbeitsplätze in unterschiedlichen Berufsfeldern. Auf dem Gelände sind außerdem moderne Sozialgebäude in Planung, die den Menschen die Arbeitsheimat im Stahl angenehmer machen sollen. Auch das ist ein Leitsatz der Feralpi Group, die Innovationen nicht nur für die Technik, sondern auch für die Menschen zu setzen.

Uwe Reinecke erklärt abschließend: „Ein Wandel wird nicht nur ausgelöst durch den Wandel der Energie und des Standortes, sondern vor allem durch die Menschen. Nur wenn ein Team dahintersteht, das flexibel ist, das zusammenhält und innovativ ist, können solche Umbrüche geschafft werden."

❙ *Angela Layendecker, Redaktion*

ERGEBNISSE EINES VIERJÄHRIGEN FORSCHUNGSPROJEKTS

Elektroofenschlacken als Vormaterial für den Verkehrswegebau

Schlacken aus Elektrostahlwerken können die Anforderungen an bestimmte Materialklassen des Verkehrswegebaus erfüllen, sofern Stahlerzeuger und Schlackenaufbereiter dafür Vorsorge tragen.

Mit dem Inkrafttreten der Ersatzbaustoffverordnung (EBV) im August 2023 kamen auch neue Verfahren und Bewertungskriterien zu umwelttechnischen Parametern zur Anwendung. Elektroofenschlacken können wie bisher die Anforderungen an die Materialklassen SWS-1 und SWS-2 beim Verkehrswegebau erfüllen, sofern Stahlerzeuger und Schlackenaufbereiter Maßnahmen wie metallurgische Konditionierung, spezielle Abkühlung sowie Aufbereitung durchführen. Das ist das Ergebnis des Forschungsprojekts KONDEOS, das von 2019 bis 2023 unter der Federführung der Georgsmarienhütte sowie in enger Zusammenarbeit mit der Firma Rauen vorm. Steinhandel Rauen, der DK Recycling und Roheisen, dem Lehrstuhl für Metallurgie und Umformtechnik der Universität Duisburg-Essen sowie dem FEhS – Institut für Baustoff-Forschung durchgeführt wurde.

David Algermissen, Abteilungsleiter Sekundärrohstoffe/Schlackenmetallurgie des FEhS-Instituts: „Das Projekt konnte eindrucksvoll zeigen, wie aus einer Problemstellung ein Verfahren praxisnah entwickelt wurde, um eine Qualitätsverbesserung der Elektroofenschlacke unter den neuen Rahmenbedingungen zu erzielen. Beginnend mit zahlreichen Analysen und Voruntersuchungen im Labor führte die Erfolgsgeschichte zu einer betrieblichen, metallurgischen Konditionieranlage, welche die gesamte Schlackenmenge verarbeiten kann. Eine Entwicklung von der Pike aufwärts."

Dr. Manuel Foppe, Projektleiter KONDEOS, Georgsmarienhütte: „Die GMH setzt sich seit Jahrzehnten für Umweltschutz und stetige Qualitätsverbesserung ihrer Produkte und Nebenprodukte ein, auch wenn dies zusätzliche Aufwendungen im Betriebsalltag bedeutet. Das

Elektroofenschlacken können EBV-konform im Verkehrswegebau verwendet werden
(Foto: TII Kamag)

Projekt KONDEOS ist ein Beispiel dafür, wie Forschung und Industrie zusammenarbeiten, um praktische Lösungen zu entwickeln. Dadurch ist es der GMH weiterhin möglich die Elektroofenschlacken ressourcenschonend im Straßen- und Wegebau, unter den neuen Richtlinien der Ersatzbaustoffverordnung, einzusetzen."

Thomas Reiche, Geschäftsführer des FEhS-Instituts: „KONDEOS demonstriert eindrucksvoll, dass wir im Verbund mit unseren Mitgliedern und Partnern erfolgreich auf die großen Herausforderungen von morgen reagieren können. Damit stärken wir die Stahlindustrie und benachbarte Branchen sowie den Forschungsstandort Deutschland. Darüber hinaus legen wir den Grundstein für die zukünftige Nutzung von Eisenhüttenschlacken als bewährte Nebenprodukte – und leisten unseren Beitrag zu Ressourcenschonung und Kreislaufwirtschaft."

> **Aus einer Problemstellung wurde ein Verfahren praxisnah entwickelt.**
>
> *David Algermissen,*
> *Abteilungsleiter am FEhS-Institut*

Das Forschungsprojekt KONDEOS – Konditionierung von Elektroofenschlacke zur Erzeugung eines EBV-konformen Produkts" wurde im Rahmen der Fördermaßnahme des Bundesministeriums für Bildung und Forschung „r+Impuls – Innovative Technologien für Ressourceneffizienz – Impulse für industrielle Ressourceneffizienz" unter dem Förderkennzeichen 033R216 unterstützt.

FEhS Institut für Baustoff Forschung

DIGITALISIERUNG

Schrotthändler als Big-Data-Dienstleister

Das Schweizer Swiss Steel Group-Werk entwickelt zusammen mit Schrottlieferanten und mehreren Universitäten eine Lösung, um einen digitalen Zwilling des ankommenden Schrotts zu generieren

Schrott ist für die Swiss Steel Group der wichtigste Rohstoff. Die Stahlproduktion aus präzise vorsortiertem Schrott benötigt deutlich weniger Energie und erzeugt obendrein weniger CO_2 als die Stahlerzeugung aus Eisenerz und Legierungsmetallen. Je besser die Schrottqualität, desto besser und ökologischer ist der daraus gewonnene Stahl. Das ist eine wichtige Voraussetzung für die Produktion von «Green Steel».

Pro Jahr verarbeitet die Swiss Steel Group in ihren Werken über 2,2 Millionen Tonnen Schrott. Damit ist sie nicht nur eines der größten Recyclingunternehmen Europas, sie zählt auch zu den größten Elektrostahlunternehmen Europas, die ausschließlich auf der Lichtbogenofen Route produzieren.

Um hohe Qualitäten produzieren zu können, braucht man Neuschrott. Das ist sortenreines Verschnittmaterial aus der Metallverarbeitung, dessen Legierungszusätze genau bekannt sind. Damit lässt sich die Zusammensetzung des daraus erschmolzenen neuen Stahls grammgenau steuern. So entstehen die Voraussetzungen für die Produktion neuer Qualitätsprodukte aus hochwertigem Stahl.

Digitale regionale Kreislaufwirtschaft

Stahl ist das wohl am besten und häufigsten recycelte Material weltweit. Schrott ist deshalb schon längst kein Abfall mehr, sondern ein gesuchter und teurer Rohstoff. Schrott durch ganz Europa zu transportieren, ist umweltbelastend und wenig effizient. Daher spielen wegen der kurzen Transportwege Stahlwerke mit einer starken lokalen Präsenz eine entscheidende Rolle bei der Etablierung regionaler Kreislaufwirtschaften. In Deutschland, Frankreich und der Schweiz stammt der Schrott für die Stahlwerke der Swiss Steel Group zu einem Großteil aus einem überschaubaren Umkreis von 90 bis 100 Kilometern.

Die Zusammenarbeit mit den Schrotthändlern ist entscheidend. Früher feilschte man nur um den Preis pro Tonne. Aber heute sind Schrotthändler Systemdienstleister, die für Qualität und Pünktlichkeit bezahlt werden. Inzwischen gibt es ein fünfstufiges Prozessreifegrad-Modell, das zu immer besserer Qualität des Schrotts führen soll.

Mittlerweile sind aber Schrotthändler nicht mehr nur Zwischenhändler, sondern wichtige, vollintegrierte Systempartner der Stahlindustrie. So arbeitet das Schweizer Swiss Steel Group-Werk zusammen mit Schrottlieferanten und mehreren Universitäten an einem System, das einen digitalen Zwilling des ankommenden Schrotts erstellen wird. Das Projekt wird von seiner Bedeutung her sehr hoch eingestuft und durch die Schweizer Regierung gefördert. Es ist ein «Big Data»-Projekt, mit dem das Stahlwerk bereits im Voraus erkennt, welche Art von Schrott angeliefert wird. So lassen sich die Anlieferung, die Produktion und letztendlich vor allem die Qualität des Stahls effizienter und effektiver gestalten.

Der geschaffene digitale Zwilling des Schrotts der Swiss Steel Group wird wegwei-

Künftig soll das Stahlwerk bereits im Voraus erkennen können, welche Art von Schrott angeliefert wird (Foto: Steeltec)

send sein – nicht nur für die Stahlindustrie. Das System kann für viele andere Materialien angewandt werden. Denn nur so kommt die Produktion von «Green Steel» und damit auch die Kreislaufwirtschaft intelligent aufgeladen in Schwung. Die riesige Schrotthalle in Emmenbrücke bedeutet keineswegs das Ende der Zivilisation. Sie ist im Gegenteil der Anfang einer neuen, besseren Welt.

Frank Koch, CEO der Swiss Steel Group, kommentiert den «Digitalen Zwilling« der Swiss Steel Group mit den Worten: «Dieses Programm ist für uns richtungsweisend: Wir folgen damit unserer Strategie, uns führend im Bereich der nachhaltigen Stahlproduktion zu positionieren.»

Swiss Steel Group

Mitglieder des Projektteams von ArcelorMittal, BHP, MDP und MHI besuchten kürzlich die Pilotanlage in Gent, Belgien (Bild: MHI)

in dem ein Gemisch aus Industriegasen wie Koksofengas, Hochofengas und Erdgas verbrannt wird.

Die Entwicklung der CO_2-Abscheidungslösung in Gent könnte mit mehreren Projekten zu Transport und Speicherung von CO_2 verknüpft werden, die derzeit in der Nordseeregion entwickelt werden. Zusammen könnte es zur Entwicklung globaler technologischer Lösungen beitragen, die für die Dekarbonisierung der Stahlproduktion erforderlich sind. Die EU hat sich zum Ziel gesetzt, bis 2030 eine jährliche CO_2-Speicherkapazität von 50 Millionen Tonnen zu erreichen, die im Rahmen des Net-Zero Industry Act vorgeschlagen wird. Darüber hinaus schätzt die Internationale Energieagentur (IEA), dass die CCUS-Technologie bis 2050 für mehr als 37 Prozent der primären Stahlproduktion eingesetzt werden muss, was jährlich 399 Millionen Tonnen CO_2 entspricht (Quelle: IEA Net Zero Roadmap - 2023 update).

Im Oktober 2022 hatten ArcelorMittal und seine Partner Mitsubishi Heavy Industries, Ltd. (MHI), BHP, sowie Mitsubishi Development Pty Ltd (Mitsubishi Development) ihre Zusammenarbeit bei einem mehrjährigen Versuch mit der CO_2-Abscheidungstechnologie von MHI an mehreren CO_2-Emissionspunkten bekannt gegeben, beginnend mit dem Hüttenwerk in Gent. Um besser zu verstehen, wie die CO_2-Abscheidungstechnologie von MHI in bestehende Hüttenwerke integriert werden kann, unterstützt ArcelorMittal den Versuch in Gent, Belgien. MHI stellt seine proprietäre CO_2-Abscheidungstechnologie (Advanced KM CDR Process™) bereit und unterstützt die technischen Untersuchungen. BHP und Mitsubishi Development sind Hauptlieferanten von hochwertigen Rohstoffen für die europäischen Stahlstandorte von ArcelorMittal und unterstützen die Finanzierung der Versuche.

ArcelorMittal / Mitsubishi Heavy Industries

QUALITÄTSSICHERUNG

Datengestütztes Image-Processing zur Erkennung und Bewertung von Oberflächenserienfehlern bei Stahlflachprodukten

Bei thyssenkrupp Steel wurde erfolgreich ein innovatives Verfahren auf Basis einer automatisierten, kameragestützten Oberflächeninspektion zur frühzeitigen Erkennung und Verarbeitung von Oberflächenserienfehlern bei Flachstahlprodukten entwickelt und in der Produktion eingeführt. Mit der Methodik lassen sich insbesondere auch schwierig zu identifizierende Serienfehler von Voraggregaten frühzeitig und erfolgreich detektieren und bearbeiten. So ermöglicht das entwickelte Verfahren dem zuständigen Qualitätsverantwortlichen, frühzeitig und proaktiv Abstellmaßnahmen zur Reduzierung oder Vermeidung von Qualitätskosten einzuleiten.

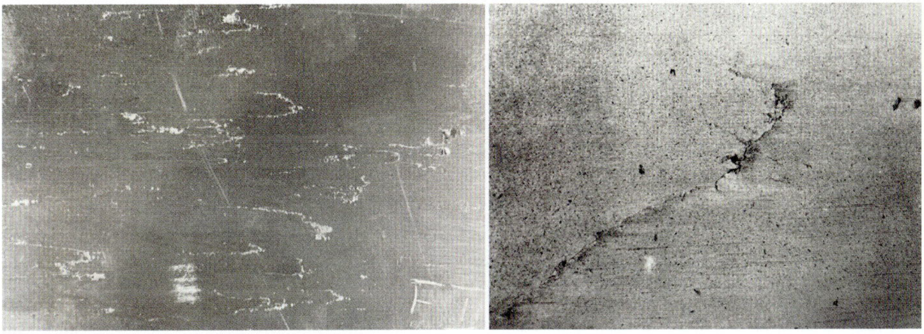

Bild 1. Beispiele für Oberflächenfehler, links: Zunderüberwalzungen am Warmband [4], rechts: grobe Schalen / M-Fehler am Kaltband [5]

In der Flachstahlproduktion stellen Oberflächenfehler einen erheblichen Kostenfaktor dar, da sie die Einsatzmöglichkeiten des Stahlflachproduktes erheblich beeinträchtigen können. In **Bild 1** sind beispielhaft typische Oberflächenfehler an warm- bzw. kaltgewalzten Bandprodukten dargestellt.

Dennis Hechler, Dr. Arwed Eberle, Werner Branscheid, Christian Göttner, Dr. Edwin Erpenbach, Prof. Dr. Andreas Kern, thyssenkrupp Steel, Duisburg – Kontakt: andreas.kern@steeleurope.com

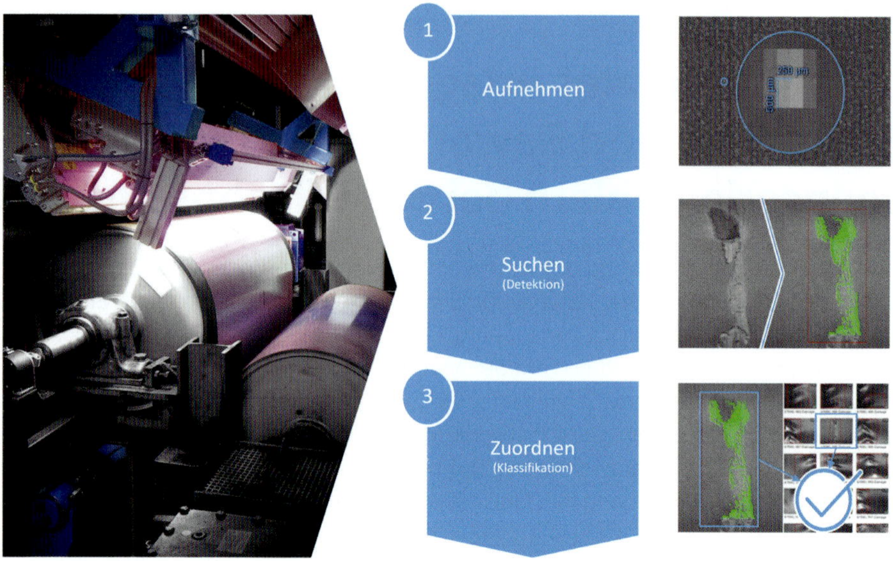

Bild 2. Schema der Funktionsweise eines Oberflächeninspektionssystems (Bild: thyssenkrupp Steel)

Als Folge davon hat sich bei thyssenkrupp Steel eine betriebliche Qualitätssicherung mit kontinuierlicher Optimierung und Verbesserung etabliert, die als ein wesentliches Element das Erkennen und die Vermeidung von Oberflächenfehlern beinhaltet und so zu einem unverzichtbaren Standard geworden ist. Im Rahmen dieser Qualitätssicherung erfolgt prozessstufenabhängig eine Kontrolle der Oberfläche auf mögliche Fehler. Diese Kontrolltätigkeit kann entweder visuell durch einen Mitarbeiter der Qualitätssicherung (Inspektor/Bandbeobachter), mit einem automatischen, kamerabasierten Oberflächeninspektionssystem (OIS) oder auch in einer Kombination aus menschlicher und maschineller Tätigkeit erfolgen.

Die vorkommenden und zu detektierenden Oberflächenfehler können u.a. hinsichtlich ihrer Verteilung auf der Oberfläche in unterschiedliche Gruppen eingeteilt werden:

- Einzelfehler – sporadisch, unregelmäßig verteilte, einzeln oder flächig auftretende Fehler
- Spurfehler – periodische/nichtperiodische Fehler in Bandlaufrichtung

Die Fehler können durch das aktuelle Produktionsaggregat (Eigenfehler der Anlage) oder durch Vorgängeraggregate (Vormaterialfehler) verursacht sein. Ursachen dafür sind im Wesentlichen auf Anlagenstörungen, Prozessparameterabweichungen oder Werkstoffinhomogentitäten zurückzuführen. Bei Vorhandensein identischer Fehler (sowohl Einzel- als auch Spurfehler) auf mehreren Produktionsbändern spricht man von einem Serienfehler.

Die Problematik in der Erkennung von Serienfehlern besteht darin, dass die fehlerhaften Bänder nicht zwingend in einer Sequenz produziert wurden. Auch hier sind unter anderem folgende Möglichkeiten vorhanden:

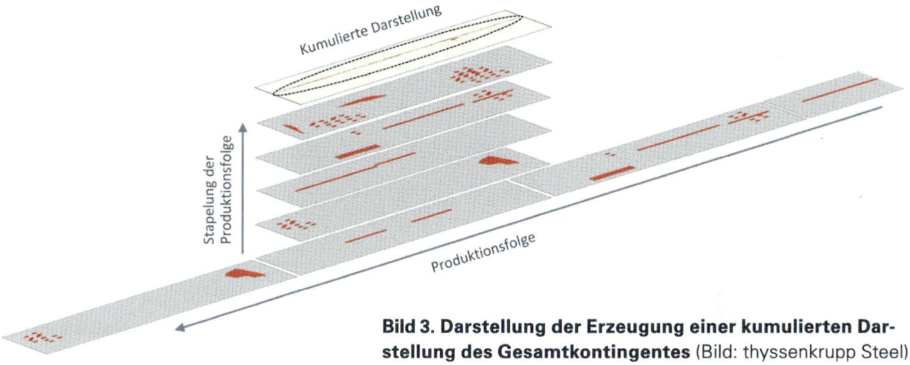

Bild 3. Darstellung der Erzeugung einer kumulierten Darstellung des Gesamtkontingentes (Bild: thyssenkrupp Steel)

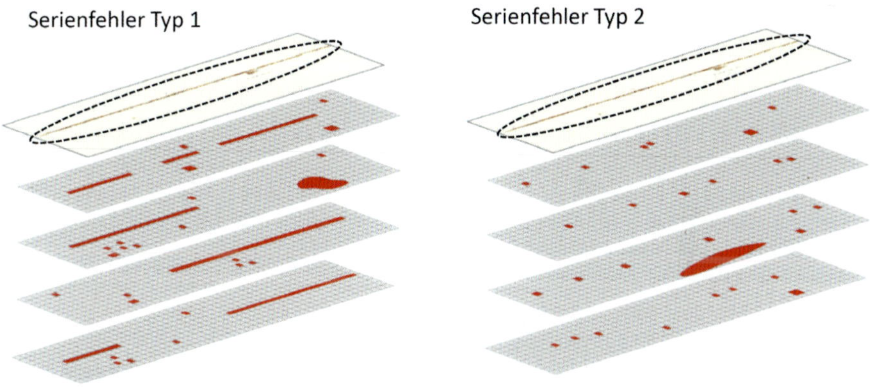

Bild 4. Schematische Darstellung der unterschiedlichen Serienfehlertypen (Bild: thyssenkrupp Steel)

- Eigenfehler
  (a) Alle Bänder der laufenden Produktion weisen identische Fehler (Fehlerart und Fehlerlage) auf. (b) Nur spezifische Bänder der laufenden Produktion weisen identische Fehler (Fehlerart und Fehlerlage) auf. Die Einschränkung kann zum Beispiel in besonderen geometrischen Abmessungen (inkl. Planheit) oder anderen Produkteigenschaften begründet sein.
- Vormaterialfehler
  (c) Bänder mit den oben beschriebenen Eigenfehlern eines Voraggregates können am aktuellen Ist-Aggregat entweder in aufeinanderfolgenden Sequenzen (beispielsweise ein Warmband-Anlagenprogramm) oder als Einzelbänder durchgesetzt werden. Bei Vormaterialfehlern ist eher mit der Variante (b) zu rechnen.

Gerade bei den Varianten (b) und (c) ist davon auszugehen, dass die befallenen Bänder das

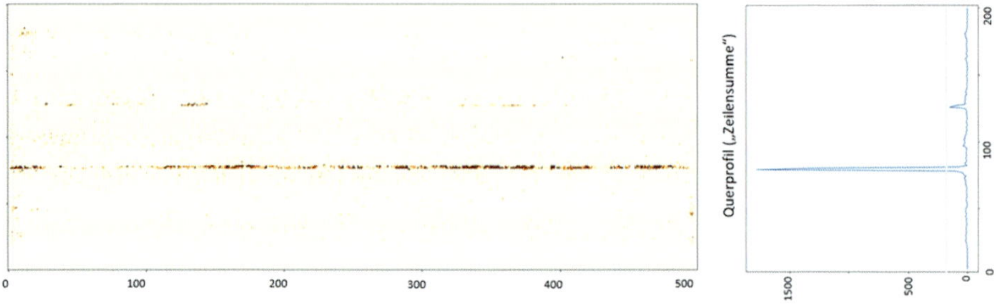

Bild 5. Schematische Darstellung der Grundidee bei der Suche nach Spuren mithilfe von statistischen Methoden (Bild: thyssenkrupp Steel)

Ist-Aggregat nicht in einer Sequenz durchlaufen. Es ist somit zunächst unklar, ob und wann alle Bänder am Ist-Aggregat durchgesetzt wurden.

Sowohl die Inspektion durch Bandbeobachter als auch durch ein OIS ist primär auf die Erkennung der dezidiert vorkommenden Fehler aber nicht auf die Erkennung von Serienfehlern ausgerichtet. Die Wahrscheinlichkeit einen Serienfehler als solchen zu erkennen, steigt mit dem sequenziellen Durchsatz und der Ausprägung eines besonderen Fehlerbildes aber deutlich an. Bandbezogene Spurfehler sind für den Bandbeobachter in der Regel deutlich einprägender als lokale Einzelfehler und die Wahrscheinlichkeit ist hoch, dass bei befallenen Folgebändern der Serienfehlercharakter ebenfalls erkannt wird. Die Gefahr der Nichterkennung relevanter Serienfehler ist jedoch erheblich.

Die zielgerichtete Erkennung von Serienfehlern erfordert die Analyse von Bandkontingenten, wobei neben einer korrekten Fehleransprache der detektierten Fehler auch eine lagegerechte Darstellung notwendig ist. Die Erkennung von Oberflächenfehlern durch Bandbeobachter unter Zuhilfenahme eines OIS kann inzwischen als Stand der Technik angesehen werden. Eine automatische Erkennung und datentechnische Verarbeitung von Serienfehlern ist dabei bislang ein offenes Handlungsfeld, dem sich thyssenkrupp Steel erfolgreich gewidmet hat. Hierzu wurde auf State-of-the-Art-Methoden der modernen Bildverarbeitung und des Image Processing zurückgegriffen. Über die Ergebnisse entsprechender Arbeiten bei thyssenkrupp Steel und erste Erfahrungen mit der automatisierten Serienfehlererkennung in der Praxis wird nachfolgend berichtet. Dem vorangestellt ist eine kurze Einführung in die Funktionsweise eines OIS.

Detektion von Oberflächenfehlern auf Stahlflachprodukten

Wie oben erläutert, wird zwischen einer rein manuellen Inspektion durch einen Bandbeobachter, einer automatischen Inspektion durch ein OIS oder einer Kombination aus beidem unterschieden.

Bandbeobachter. Bei der manuellen/visuellen Bandinspektion werden die auf einem Rollgang kontinuierlich durchgesetzten Bänder durch einen zuvor spezifisch geschulten Bandbeobachter inspiziert. Zu beachten ist hier, dass sowohl die Ober- als auch die Unterseite kontrolliert werden muss. Eine 100 % Oberflächen-

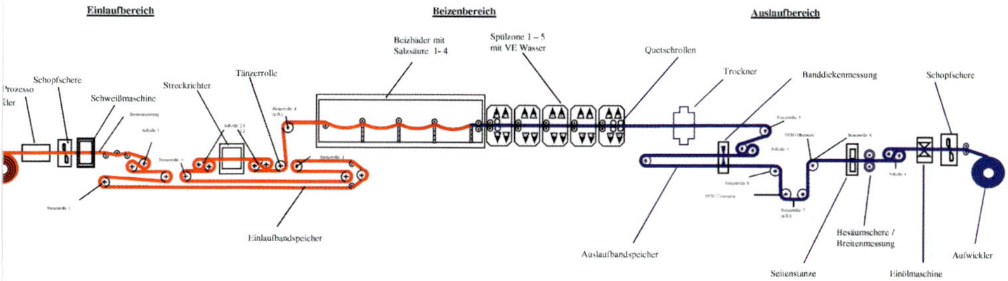

Bild 6. Schematische Darstellung einer Beize, eingeteilt in Einlauf-, Beiz- und Auslaufbereich – rot: Warmband schwarz/ungebeizt; blau: Warmband gebeizt (Bild: thyssenkrupp Steel)

kontrolle ist bei Einsatz eines Bandbeobachters nur bedingt oder nur mit hohem Aufwand zu erreichen. Die Restriktion ergibt sich durch die bereits angesprochene notwendige Kontrolle der beiden Seiten des Bandes (Ober- und Unterseite) sowie die dazugehörige Dokumentation und durch gegebenenfalls weitere betrieblich notwendige Tätigkeiten, die je nach Anlagentyp und Aggregat zusätzlich dem Bandbeobachter aufgetragen wurden.

Oberflächeninspektionssystem. Bei einem automatisch arbeitenden Oberflächeninspektionssystem nehmen hochauflösende Kameras Bilder der Bandoberfläche auf. Hierbei können unterschiedliche Kamera- (Matrix oder Zeilenkameras) und Beleuchtungstechnologien mit einem oder mehreren Beleuchtungswinkeln eingesetzt werden. Je nachdem an welchem Produktionsaggregat eine automatische Oberflächeninspektion erfolgen soll, ergeben sich unterschiedliche mögliche Einbauorte. Mögliche Einbauorte sind entweder im Einlauf-/Auslaufbereich oder an frei zugänglichen Sichtbereichen an einem Rollgang. Die mitunter schwierigen Umgebungsbedingungen in der Stahlindustrie durch Staub und Feuchtigkeit sowie hohe Temperaturen erfordern individuelle Lösungen im Rahmen der Inbetriebnahme und erschweren eine optimale Detektions- und Klassifikationsleistung der eingesetzten Systeme.

Die Bilder werden dann häufig mithilfe zuvor trainierter KI-Modelle hinsichtlich optischer Merkmale analysiert. Primäres Ziel ist hierbei die Detektion von Oberflächenfehlern und deren anschließende Klassifikation, wobei eine Vielzahl spezifischer Fehlermerkmale wie beispielsweise Form, Größe, Kontrast, Ausrichtung oder andere Eigenschaften zur Klassifikation der Defekte herangezogen werden können (**Bild 2**). Dies geschieht zeitnah während der Produktion, sodass diese Informationen dem Bandbeobachter unmittelbar beim Banddurchsatz als zusätzliches Hilfsmittel zur Bewertung der Fehler zur Verfügung stehen. Bei den KI-Modellen handelt es sich meist um spezielle neuronale Netze, welche extra für Bildverarbeitungsaufgaben entwickelt wurden. Das Training/Anlernen der Klassifikationsalgorithmen von einem OIS auf spezifische Oberflächenfehler und Produkte ist meist sehr zeitaufwendig und benötigt eine große Anzahl zuvor (meist manuell) klassifizierter Daten. Um die Klassifikationsleistung zu optimieren, kann eine Nachklassifikation unter Zuhilfenahme weiterer Metainformationen nachgeschaltet werden. Diese können beispielsweise Informationen zu weiteren in der Nähe detektierten Defekten beinhalten. Die finalen Inspektionsergebnisse werden dann nach Abschluss der Klassifikation in einer geeigneten Datenbank

zu betrachtenden Kontingentes, gefolgt von der eigentlichen Spur- und Serienfehlersuche.

Daten und kumulierte Darstellung. Um optimale Ergebnisse zu erzielen, ist eine geeignete Auswahl und Aufbereitung der Daten erforderlich. Hierbei werden unterschiedliche Aspekte berücksichtigt, mit dem Ziel der Maximierung der Gesamtleistung des Algorithmus. Im Hinblick auf die zu bewertenden Fehler werden Einzelfehlerklassen, die oft als Serienfehler auftreten, in Fehlergruppen zusammengeführt. Dies ermöglicht das gezielte Suchen nach bestimmten Arten von Serienfehlern. Die Bildung von Fehlergruppen ist erforderlich, da spezifische Fehler mit identischer Ursache teilweise in unterschiedlichen Fehlerklassen klassifiziert werden können. Ursache solcher Fehlklassifikationen sind optische Unterschiede und Verwechselungen mit jeweils optisch ähnlichen Fehlerklassen.

Neben der Bildung von Fehlergruppen, ist auch die Bildung von Auswertekontingenten ein wesentlicher Schritt, um das volle Potential der entwickelten Lösung entfalten zu können. Hierdurch wird sowohl die Suche nach Eigenfehlern der jeweiligen Durchsatzanlage als auch die Suche nach Fehlern von vorhergehenden Aggregaten und Anlagen ermöglicht.

Um eine geeignete kumulierte Darstellung des Gesamtkontingentes generieren zu können, ist neben einer allgemeinen Datenbereinigung eine Abmessungsnormierung erforderlich. Grund hierfür sind mögliche unterschiedliche Längen und Breiten der einzelnen Bänder.

Diese Normierung wird so gewählt, dass eine lagekonforme Darstellung der Fehler sichergestellt ist. Im Anschluss werden die Einzelbänder übereinander projiziert, um so eine Gesamtdarstellung des zu betrachtenden Kontingentes zu erhalten (**Bild 3**). Diese kumulierte und normierte Darstellung bildet den Ausgangspunkt für die eigentliche Serienfehlersuche.

Spur- und Serienfehlersuche. Der Fokus der Serienfehlersuche liegt auf der Detektion von Spuren. Gründe für diese Spuren sind zum einen die Ausführung des Walzens, wodurch einzelne Fehler in Bandlängsrichtung ausgewalzt werden und zum anderen Fehler, welche periodisch (wieder in Bandlängsrichtung) zum Beispiel durch defekte Rollen oder Walzen entstehen. Die Suche nach diesen Spuren in der Gesamtdarstellung des Kontingentes steht somit im Vordergrund. Im Wesentlichen können die Spuren in zwei unterschiedliche Klassen unterteilt werden (**Bild 4**):

- Spuren, welche bereits auf den Einzelbändern deutlich ausgeprägt sind (Serienfehler Typ 1),
- Spuren, welche nicht auf den Einzelbändern erkennbar sind und erst durch Überlagern der Einzelbänder hervortreten (Serienfehler Typ 2).

Als Beispiele für den ersten Fall sind insbesondere periodische Ein- und Abdrücke zu nennen – für den zweiten Fall schalenartige Fehler. Insbesondere die zweite Klasse ist für die Serienfehlersuche von besonderer Bedeutung, da hier das Erkennen der sporadisch auftretenden Fehler als Serienfehler äußerst schwierig ist.

Zur Detektion der Spuren kann auf bekannte Verfahren aus dem Image-Processing zurückgegriffen werden. Beispiele wären hierfür:

- Hough Line Transformation,
- Image Filtering,
- statistische Verfahren.

Mit der Hough Line Transformation [2] ist es möglich, beliebige parametrisierbare Formen (somit insb. auch Linien und Spuren) zu detektieren. Zum Einsatz kommt dieses Verfahren in diversen Anwendungsbereichen, wobei es sich insbesondere in der Automobilindustrie im Bereich des autonomen Fahrens („Fahrspurerkennung") bewährt hat.

Die Methoden des Image Filtering [3] sind ein Standardtool der modernen Bildverarbeitung und ermöglichen es neben dem Modifizieren (Glätten, Schärfen etc.) von Bildern auch Features (Muster, Formen, Merkmale etc.) und Strukturen zu erkennen und zu extrahieren. Filter sind insbesondere ein wesentlicher Bestandteil der „Convolutional Neural Networks" (CNN) aus dem Bereich Deep Learning.

Ziel der statistischen Methoden ist es, geeignete statistische Werte aus den Bildern zu identifizieren, mithilfe derer auf das Vorhandensein von Spuren geschlossen werden kann. So können zum Beispiel für das Erkennen von horizontalen Spuren die Pixelwerte entlang einer Zeile aufsummiert und anhand der Zeilensummen nach Spuren gesucht werden: Übersteigt eine Zeilensumme einen zuvor definierten Schwellwert, weist diese Zeile eine Spur auf (**Bild 5**).

Sobald eine Spur mithilfe der aufgeführten Auswertetechniken detektiert wurde, erfolgt eine Evaluierung dieser Spur. Hierbei wird geprüft, ob eine zuvor definierte Mindestanzahl an Bändern maßgeblich zu der Spur beigetragen haben. Trifft dies zu, handelt es sich um einen Serienfehler, andernfalls um ein Einzelereignis.

Erfahrungen mit der Nutzung in der betrieblichen Produktion

Ausgehend von den vorstehenden grundlegenden Ausführungen soll abschließend ein tieferer Einblick in die betriebliche Arbeitsweise mit dem entwickelten Tool und dessen praktischer Nutzen gegeben werden. Als Musteranlage dient hier eine Beize (**Bild 6**). Primäres Ziel des Beizprozesses ist die Entfernung von Oberflächenverunreinigungen (zum Beispiel Zunder) vom vorherigen Warmwalzprozess, um eine saubere und fettfreie Oberfläche zu schaffen. Hierbei wird das Warmband durch ein Beizbad geleitet, in der die Beizlösung (meist Salz- oder Salpetersäure) mit den Verunreinigungen/Oxiden reagiert und diese dadurch entfernt. Es entsteht eine saubere Metalloberfläche, die es ermöglicht, Oberflächenfehler deutlich zielgerichteter zu detektieren und zu klassifizieren, als es zum Beispiel direkt beim Warmwalzen möglich ist. Da sich der Beizschritt direkt nach dem Warmwalzen anschließt, kann ferner bei einer hier implementierten Serienfehlererkennung auch frühzeitig auf Warmbandserienfehler reagiert werden. Insbesondere können an der Beize neben der Detektion von Eigenserienfehlern auch die Detektion der Voraggregatsserienfehler demonstriert werden.

Grundsätzlich erfolgt die Detektion von Serienfehlern in der aktuell implementierten Ausbaustufe am betrachteten Beispielaggregat Beize batchweise in festgelegten, geeigneten zeitlichen Abständen. Hierbei wertet ein Programm die zuvor definierten Kontingente bzgl. der ebenfalls zuvor festgelegten Fehlergruppen und Parametrisierungen aus. Zu beachten ist insbesondere die hohe Anzahl an durchzuführenden Auswertungen. Der Grund hierfür ist die große Anzahl an Kontingenten, welche auf einer Vielzahl von unterschiedlichen Produkten mit unterschiedliche Güten, Abmessungen etc. beruhen (**Bild 7**). Diese müssen dann bezüglich unterschiedlicher Fehlergruppen/Parametrisierungen geprüft werden. Bei Kontingentdefinitionen zur Prüfung auf Vormaterialfehler ist zudem zu beachten, dass Einzelbänder mit zeitlichem Versatz durchgesetzt werden können und somit die Auswertung regelmäßig über einen längeren Zeitraum wiederholt werden muss. Dies erhöht zusätzlich die Anzahl an Auswertungen pro Batch erheblich.

Die Alarmierung im Falle eines potenziellen Serienfehlers erfolgt mithilfe eines eigens bei thyssenkrupp Steel entwickelten Monitoring- und Alerting Systems. Die Qualitätsverantwortlichen erhalten automatisch eine Meldung zum Ereignis, welche neben den betroffenen Bändern noch weitere wichtige Zusatzinformationen enthält. Zusätzlich dient eine grafische Aufbereitung des Gesamtfehlerbildes des befallenen Kontingentes als weitere Unterstützung zur Bewertung der Relevanz des Fehlers für das

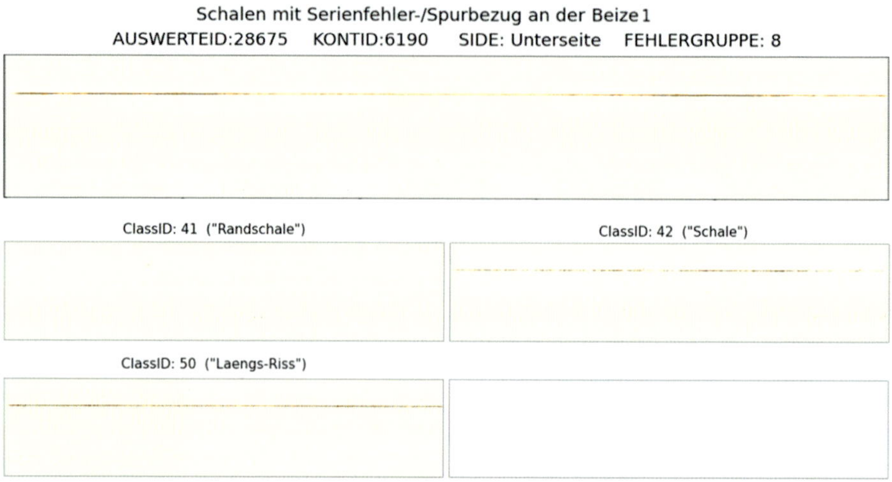

	ALARMMELDUNG								
	AUSWERTEID	HAUPTAGGREGAT	AGGREGAT WARMBAND	SEITE	FEHLERGRUPPE	ANZAHL BETROFFENER COILS	SPUR_NR	ALARMMELDUNG	WEITERE INFORMATIONEN (PARAMETRISIERUNG, KONTINGENT, etc.)
1	28675	BEIZE1	GIEßWALZANLAGE1	UNTERSEITE	8	8	55	01.04.2023	...

	ÜBERSICHT COILS								
	AUSWERTEID	COILID	SPUR_NR	ANZAHL_FEHLER	HAUPTAGGREGAT	AGGREGAT WARMBAND	DURCHSATZ BEIZE	DURCHSATZ WARMBAND	WEITERE INFORMATIONEN (STAHLMARKE, DICKE etc.)
1	28675	6730113	55	1211	BEIZE1	GIEßWALZANLAGE1	29.03.2023 01:50	20.02.2023 15:51	...
2	28675	6730202	55	1067	BEIZE1	GIEßWALZANLAGE1	29.03.2023 02:33	20.02.2023 15:40	...
3	28675	6735446	55	316	BEIZE1	GIEßWALZANLAGE1	31.03.2023 09:29	20.02.2023 15:16	...
4	28675	6736275	55	856	BEIZE1	GIEßWALZANLAGE1	31.03.2023 18:16	20.02.2023 16:35	...
5	28675	6736645	55	1325	BEIZE1	GIEßWALZANLAGE1	31.03.2023 22:46	20.02.2023 16:45	...
6	28675	6737298	55	761	BEIZE1	GIEßWALZANLAGE1	01.04.2023 05:14	20.02.2023 20:01	...
7	28675	6737310	55	591	BEIZE1	GIEßWALZANLAGE1	01.04.2023 05:20	20.02.2023 20:45	...
8	28675	6738393	55	1095	BEIZE1	GIEßWALZANLAGE1	01.04.2023 18:57	20.02.2023 18:59	...

Bild 9. Alarmmeldung eines Serienfehlers von FeO-Schalen, welche an der Beize 1 detektiert, aber am Voraggregat produziert wurden (Bild: thyssenkrupp Steel)

finale Produkt. Basierend auf der Bewertung können dann Maßnahmen zur Abstellung des Fehlers (zum Beispiel durch Austausch/Reparatur fehlerhaft arbeitender Anlagenteile) angeordnet werden. Auch ist es zwecks Minimierung der Folgekosten ggf. notwendig, eine Weiterprozessierung der betroffenen Bänder zu unterbinden, um zunächst das Vorgehen für den weiteren Umgang mit dem Material festzulegen.

Das erste Beispiel hierzu (**Bild 8**) zeigt eine Alarmmeldung bestehend aus Ein- und Abdrücken. Detektiert wurde dieser Serienfehler in einem Tageskontingent der Beize unabhängig von Güte, Abmessung etc. Man erkennt eine klare Spur sowie die zugehörigen betroffenen Bänder. Die qualitative Prüfung ergab, dass der Serienfehler hier von einer beschädigten Rolle der Beize verursacht wurde. Hier handelt es sich also um einen Eigenfehler der Beize, worauf bereits die unterschiedlichen Durchlaufzeiten am Voraggregat der einzelnen Bänder hindeuteten.

Beim zweiten Beispiel (**Bild 9**) handelt es sich um einen FeO-Schalenfehler. Dieser wurde vom Voraggregat aus der Warmwalzstufe verursacht. Aufgrund der erschwerten Umgebungsbedingungen in dieser Prozessstufe (zum Beispiel hohe Temperaturen, Dampf, Zunderbildung) konnte der Fehler nicht beim Warmwalzen detektiert werden. Nach Durchlaufen des Beizbades wurde die Ausprägung des Fehlers auf den einzelnen Bändern klar ersichtlich und für das OIS detektierbar. Zu beachten ist hier, dass die Bänder an unterschiedlichen Tagen in unterschiedlichen Walzprogrammen durch die Beize durchgesetzt wurden. Aufgrund des zeitlichen Versatzes der befallenen Bänder und der großen Anzahl an unkritischen Bändern in der Zwischenzeit war es für einen Bandbeobachter nicht möglich, die Einzelereignisse als Serienfehler zu identifizieren. Die qualitative Überprüfung des Fehlers hat ergeben, dass dieser von einer defekten Kokille beim Gießvorgang verursacht wurde.

Fazit und Ausblick

Oberflächenfehler auf Stahlflachprodukten sind wichtige qualitative Störereignisse in der betrieblichen Fertigungspraxis. Dies vor allem dann, wenn sie als Serienfehler in ganzen Fertigungskampagnen auftreten. Bei thyssenkrupp Steel wurde erfolgreich ein innovatives Verfahren auf Basis einer automatisierten, kameragestützten Oberflächeninspektion zur frühzeitigen Erkennung und Verarbeitung von Oberflächenserienfehlern bei Flachstahlprodukten entwickelt und in der Produktion eingeführt. Hierbei wurden moderne Methoden aus dem Image-Processing auf die Problemstellung maßgeschneidert adaptiert, sodass erstmals auch Kontingente von Bändern im Produktionsfluss automatisiert analysiert und bewertet werden können. Insbesondere die dargestellten Beispiele aus der Produktion zeigen die Effizienz und Wirksamkeit der entwickelten Methodik. Mit der Methodik lassen sich auch schwierig zu identifizierende Serienfehler von Voraggregaten erfolgreich detektieren und bearbeiten. In Kombination mit der nachgelagerten Alerting-Systematik ermöglicht das entwickelte Verfahren dem zuständigen Qualitätsverantwortlichen frühzeitig und proaktiv Abstellmaßnahmen zur Reduzierung oder Vermeidung von Qualitätskosten einzuleiten. Ferner garantiert das standardisierte Vorgehen einen schnellen Rollout auf weitere Produktionsanlagen. Mit dem neuen Verfahren wird ein betrieblicher operationalisierbarer Ausgangspunkt für eine nachhaltige Qualitätssteigerung der Produkte und eine weitere Prozessoptimierung bei thyssenkrupp Steel geschaffen.

In der Weiterentwicklung der automatisierten Serienfehlererkennung steht der Übergang von einer batchweisen Auswertung hin zu einer Echtzeit-Auswertung im Vordergrund. Hierdurch wird die Reaktionszeit auf Serienfehlermeldungen und damit eintretende Qualitätsprobleme weiter reduziert. Dies ist insbesondere bei Anlagen mit einer hohen Durchlauffrequenz wichtig. Die bei thyssenkrupp Steel gut aufgestellte IT-Infrastruktur gewährleistet hierbei die Bearbeitung der hohen Anzahl an parallel verlaufenden Prüfungen. Erste Versuche hierfür fanden bereits statt und lieferten vielversprechende Ergebnisse.

Verwechselungsgefahr: Vom selben Coil stammende Spaltband-Ringe haben alle dieselbe Breite, Güte und auch dieselben Materialeigenschaften (Foto: Bilstein)

COIL-IDENTIFIZIERUNG

In Sekundenschnelle die Nadel im Heuhaufen finden

Bei der Bilstein Gruppe durchlaufen täglich über 1.600 Tonnen Bandstahl-Coils die Produktionsanlagen. Um das Risiko von Verwechslungen zu beseitigen, setzt der Kaltbandhersteller bei der Coil-Identifikation auf die Software ibaDatawyzer-ICC der iba AG.

Mit einer Produktion von über 600.000 Tonnen pro Jahr zählt die Bilstein-Gruppe zu einem der weltweit führenden Hersteller von Kaltband. Trotz der enormen Menge von Coils gleicht kein Metallband dem anderen. „Wir sind kein klassischer Massenfertiger, sondern gehen explizit auf Kundenwünsche ein. Daher ist es unumgänglich, eine flexible Fertigung zu haben und diese zu koordinieren und zu überwachen", sagt Ufuk Karvan, der beim Kaltbandhersteller für den Bereich Prozess- und Systemtechnik verantwortlich ist. Verwendet werden die Erzeugnisse von Bilstein in der Werkzeugproduktion und der Bau- und Automobilindustrie.

Die Produktionsfläche von Bilstein erstreckt sich auf rund 700.000 Quadratmeter. Umso wichtiger ist es daher, die Coils während der gesamten Fertigungskette identifizieren und bestimmen zu können. „Unsere Prozessrouten verlaufen durchaus komplex und zusätzlich ist jeder menschliche Handeingriff eine kleine, potenzielle Fehlerquelle. Deshalb wollen und müssen wir Materialverwechslungen frühzeitig erkennen", so Karvan. Um dies zu gewährleisten, greift die Bilstein Gruppe auf ibaDatawyzer-ICC, die Coil-Identifikation-Software der iba AG, zurück. „Bei ibaDatawyzer-ICC kommt ein patentiertes Fingerprintverfahren ins Spiel: Jedes Coil entwickelt beim Walzen ein charakteristisches Dickenprofil über die Bandlänge. Anhand dieses spezifischen Kurvenverlaufs, der mit Dickenmessanlagen online erfasst und wie ein menschlicher Fingerabdruck für jedes Coil einmalig ist, können wir Coils sicher identifizieren und Verwechslungen ausschließen", sagt Karvan. Hierzu verwendet ibaDatawyzer-ICC die mit ibaPDA erfassten Prozessdaten und generiert daraus eineindeutige Features für jedes Coil, die dann in einer Datenbank langzeitverfügbar gespeichert werden.

Wenn Coils verwechselt werden, droht ein hoher Schaden

Im Bilstein-Werk am Standort Hagen werden gelieferte Warmbandcoils zunächst zugeschnitten und anschließend durch Wärmebehandlungen, Walz- und Schneidevorgänge weiterbearbeitet. „Wir bekommen ein Warmband, das wir in unterschiedliche Teilstreifen zerschneiden. Diese haben alle dieselbe Breite, Güte und auch dieselben Warmbandeigenschaften, sind also grundsätzlich identisch. Daher könnte eine Verwechslung hier schnell passieren", berichtet Karvan. Kritisch werde es vor allem, wenn die Metallbänder einem falschen Auftrag zugeordnet und nicht korrekt weiterverarbeitet würden: „Falls ein Coil verschnitten wird, dann könnte man einen Kunden im schlimmsten Fall nicht mehr beliefern und müsste warten, dass wir ein

> **Wie ein menschlicher Fingerabdruck ist das Dickenlängsprofil für jedes Coil einmalig.**
>
> *Ufuk Karvan, Bereichsleiter Prozess- und Systemtechnik bei Bilstein*

passendes Warmband bekommen. Obendrein wären etwa 25 Tonnen Material Schrott. Bei einem Wert von etwa 2.000 Euro pro Tonne kann man sich den Schaden, der hier entstehen würde, schnell ausrechnen", sagt Karvan. Dieses Risiko beseitigt Bilstein mit dem Einsatz von ibaDatawyzer-ICC: „Mit dem System sehen wir nicht nur sofort, wenn irgendwo etwas nicht passt, sondern bekommen auch direkt das korrekte Coil angezeigt", zeigt sich Karvan rundum zufrieden mit der iba-Lösung. Die Bilstein-interne Datenbank umfasst mittlerweile über 180.000 Einträge, von denen jeder die spezifischen Merkmale des jeweiligen Coils enthält. Dennoch ließe sich „die Nadel im Heuhaufen in Sekundenschnelle finden", wie Karvan sagt.

Langzeitanalysen bringen einen riesigen Mehrwert

Auch zur Überwachung der verschiedenen Anlagen setzt Bilstein auf das iba-System, zur Daten-

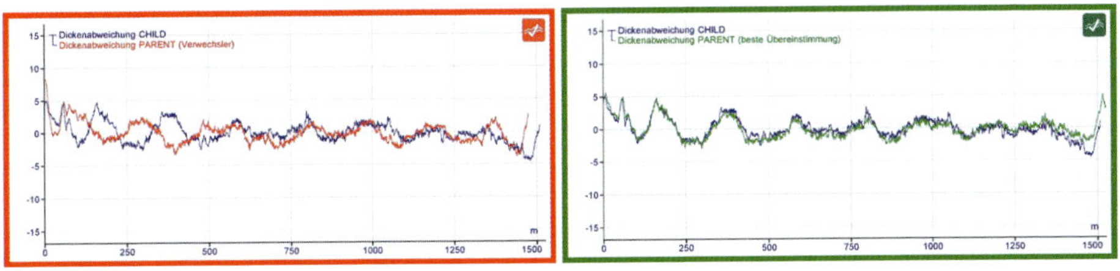

Fingerprint: Jedes Coil hat beim Walzen ein individuelles Dickenprofil über die Bandlänge erhalten, das zur Identifikation herangezogen wird (Bild: iba AG)

Die Bilstein-interne Datenbank umfasst mittlerweile über 180.000 Einträge, von denen jeder die spezifischen Merkmale des jeweiligen Coils enthält (Foto: Bilstein)

Das angelieferte Warmband wird zunächst längsgeteilt, das heißt in mehrere Streifen geschnitten (Foto: Bilstein)

erfassung sind dabei knapp 60 ibaPDA-Systeme (Process Data Acquisition) im Einsatz. Eine ganz besondere Anwendung hat Bilstein gemeinsam mit iba dabei für das Web-basierte Dashboard-Tool ibaDaVIS entwickelt: Durch die konsequente Verbindung von ibaDatawyzer-ICC, der die Coils während der einzelnen Produktionsschritte im Hintergrund überwacht, mit ibaDaVIS lassen sich Langzeitbeobachtungen anstellen und somit Trends und weitere Optimierungspotenziale erkennen. Auf diese Weise können beispielsweise die fehlerfreie Funktion der eingesetzten Messtechnik permanent nachgewiesen oder umfassende Reports für einzelne Coils erstellt werden. „Dass wir mit ibaDaVIS und iba-Datawyzer-ICC Langzeitanalysen fahren können, hat für uns einen riesigen Mehrwert. Aus den Erkenntnissen, die wir dort bereits gewonnen haben, sind schon einige Ideen entstanden. Hier sind wir bislang die ersten und einzigen, die das so machen", berichtet Karvan.

Patentiertes Verfahren: Die Fingerprint-Technologie von ibaDatawyzer-ICC

Zur Coil-Identifizierung nutzt ibaDatawyzer-ICC vorrangig das Dickenlängsprofil des gewalzten Coils. Da die Materialdicke üblicherweise am Ausgang des einen und am Eingang des folgenden Fertigungsschritts gemessen wird, kann das Dickenlängsprofil als inhärentes Merkmal zur Identifikation des Coils verwendet werden. Mithilfe dieser patentierten Fingerprint-Technologie bestimmt ibaDatawyzer-ICC die einzigartige Charakteristik aus einem Dickenlängsprofil an markanten Stellen im Signalverlauf wie beispielsweise Maxima und Minima. In der Analyse ermittelt die Software dann die Anzahl der Übereinstimmungen zwischen den Dickenlängsprofilen der Ausgangs- und Eingangsmessung. Zur korrekten Zuordnung eines Coils muss diese dann oberhalb eines anlagenspezifischen Grenzwerts liegen. Ist die Trefferquote jedoch niedriger, deutet dies entweder auf eine schlechte Datenqualität oder einen Verwechsler hin. In diesem Fall markiert ibaDatawyzer-ICC den Eintrag in der Visualisierung farbig und sucht automatisch nach passenderen Coils. Auf diese Weise werden Coil-Verwechslungen und auch nicht dokumentierte Umwickelvorgänge rechtzeitig erkannt.

iba AG, Fürth

STRANGGUSS

Simulation verschiedener Phänomene beim Stranggießen von Stahl

In diesem Beitrag werden mehrere Fälle zur Simulation verschiedener Phänomene beim Stranggießen von Stahl vorgestellt. Insbesondere werden Themen wie Flüssigmetallströmung in der Kokille, elektromagnetisches Rühren und Überhitzungstransport, Makroseigerung und die thermomechanische Verformung der erstarrenden Schale behandelt. Alle Simulationen werden mit der kommerziell erhältlichen Software MAGMASOFT® durchgeführt.

Das Stranggießen ist ein Standardverfahren bei der Stahlherstellung. Bei diesem Verfahren wird flüssiger Stahl in eine wassergekühlte Form gegossen und das erstarrte Metall kontinuierlich entnommen. Es umfasst gekoppelte Fluiddynamik-, Wärmeübertragungs- und Erstarrungsphänomene. Darüber hinaus werden externe Magnetfelder eingesetzt, um den Fluss in die Form und den flüssigen Kern zu steuern. Neben der multiphysikalischen Natur dieses Prozesses, stellt auch die große Bandbreite an Längen- und Zeitskalen eine Herausforderung für die Modellierung dar [1].

Numerisches Modell

Numerische Modelle können neue Erkenntnisse zum Verständnis einiger Aspekte des Strangussprozesses liefern und möglicherweise die Gussqualität verbessern. Dies umfasst den gesamten Prozess, vom Verteiler über den Fluss in die Form bis hin zum erstarrenden Strang, der durch verschiedene Kühlzonen abgezogen wird.

Das numerische Modell basiert auf der Finite-Volumen-Methode. Das Temperatur- und Geschwindigkeitsfeld im abgezogenen Strang, einschließlich Erstarrung, wird berechnet. Für die Simulation wird das L-VEL-Turbulenzmodell verwendet. Die thermophysikalischen Parameter hängen von der Temperatur und dem Festkörperanteil ab. Wärmeübergangskoeffizienten werden festgelegt, um den primären Wärmeentzug in der Form und die sekundäre Abkühlung zu simulieren. Das elektromagnetische Feld und die Lorentz-Kräfte werden aufgrund der niedrigen magnetischen Reynoldszahl nur einmal berechnet und wirken als Körperkraft in der Impulsgleichung. Eine detailliertere Beschreibung des numerischen Modells findet sich in Referenz [2].

Validierung

Die Strömungsmechanik spielt beim Stahlstranggießen eine entscheidende Rolle. Dazu gehört eine turbulente Strömung, die durch Trägheit, thermosolutalen Auftrieb oder elektromagnetische Kräfte angetrieben wird. Die

Evgenii Shvydkii, Jakob Fainberg, Erik Hepp, Sebastian Koldorf, MAGMA Gießereitechnologie GmbH, Aachen · Kontakt: e.shvydkii@magmasoft.de

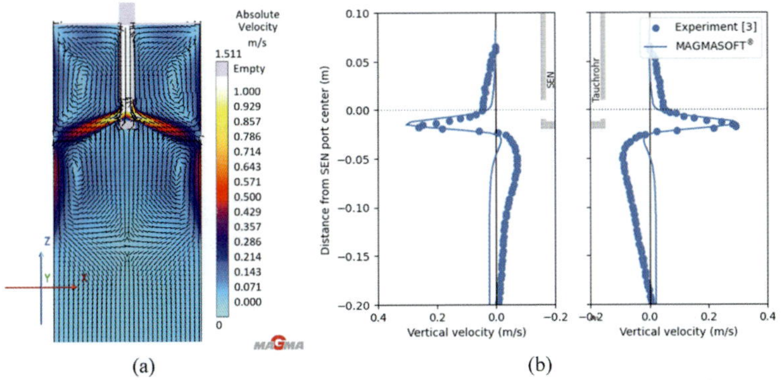

Bild 1. Berechnetes Geschwindigkeitsfeld in der Form (a) und vertikale Geschwindigkeitsprofile bei x = ± 20 mm von der SEN-Achse (b) (Bild: Magma)

Reynoldszahlen in industriellen Gießanlagen erreichen ~10^5 in der Eintauchdüse (SEN) und ~10^4 in der Form. Zur Validierung des fluiddynamischen Teils des Modells wird auf das Mini-LIMMCAST-Experiment [3, 4] zurückgegriffen. Dieses Experiment verwendet eine GaInSn-Legierung als flüssiges Medium und Ultraschall-Doppler-Velocimetrie als Messmethode. Das flüssige Metall zirkuliert durch ein SEN und eine plattenförmige Form mit zwei Auslässen, wodurch ein Stranggussverfahren imitiert wird.

In **Bild 1** ist links (a) das simulierte Geschwindigkeitsfeld dargestellt. Die aus den beiden SEN-Öffnungen austretende Strömung mit einer Geschwindigkeit von über 1 m/s verlangsamt sich in Richtung der Werkzeugseitenwände und bildet vier Wirbel. In der unteren Hälfte der Form ist die Geschwindigkeit nach unten gerichtet, was der Entnahmerichtung entspricht. Zum Vergleich dieses Berechnungsergebnisses, sind rechts im **Bild 1** (b) zwei vertikale Geschwindigkeitsprofile mit den gemessenen Profilen dargestellt. Die Daten wurden bei x = ± 20 mm von der SEN-Achse aufgenommen. Die oberen Wirbel erzeugen eine Abwärtsgeschwindigkeit oberhalb der Mitte der SEN-Anschlüsse. Unmittelbar unterhalb der SEN-Öffnungen wird eine Geschwindigkeit von etwa 0,2 m/s angezeigt, was mit dem Experiment übereinstimmt. Darunter ist ein Unterschied zwischen den simulierten und den gemessenen Werten zu beobachten. Im Experiment ist die Flüssigkeitsströmung nach oben gerichtet, während sie in der Simulation in die Abzugsrichtung gerichtet ist. Diese Diskrepanz lässt sich durch die Konstruktion des Versuchsaufbaus erklären, der aus zwei horizontalen Auslässen besteht, während in unserer Simulation der Strang nach unten abgezogen wird.

Fallstudien

Die folgenden drei Fallstudien behandeln die Simulation des Überhitzungstransports, der Entmischung und der Luftspaltbildung.

1 - Überhitzungstransport. Die Überhitzungstemperatur beim Stranggießen ist definiert als die Differenz zwischen Liquidus- und Gießtemperatur. Sie weist auf eine in der über die Liqui-

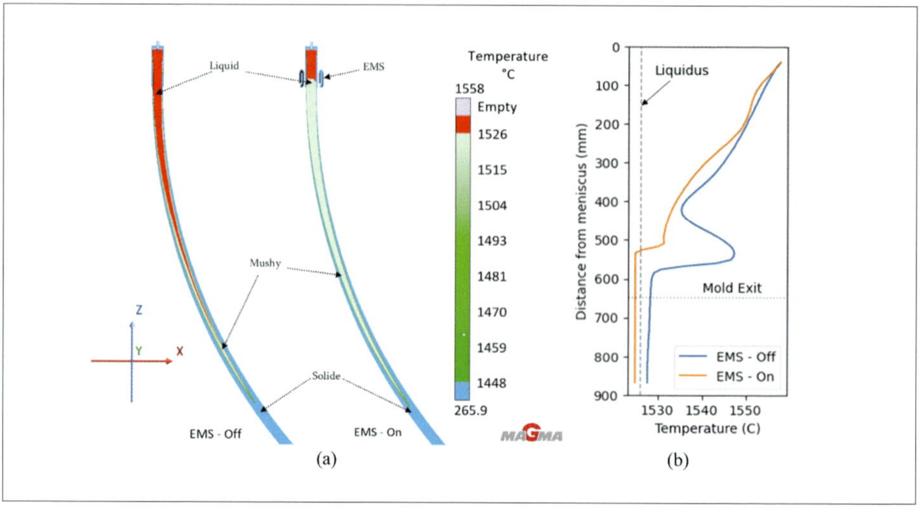

Bild 2. (a) Temperaturfeldergebnisse für Fälle ohne und mit EMS. Die überhitzte Zone ist rot, die breiige Zone ist grün und die feste Phase ist blau (b) Temperaturprofile entlang der Strangmittellinie (Bild: Magma)

dustemperatur hinaus erhitzten Schmelze enthaltene Energie hin. Die Steuerung dieses Parameters kann sich auf Makrostrukturbildungsphänomene wie den Übergang von säulenförmig zu gleichachsig Kristallen (CET) oder die Entmischung entlang der Mittellinie auswirken [5]. Zur Steuerung und Optimierung dieser Überhitzungsabfuhr im Werkzeug wird das elektromagnetische Rühren (EMS) eingesetzt. Es erzeugt eine primäre, rotierende Wirbelströmung und zwei sekundäre, toroidale Strömungen in den flüssigen Kern des Strangs. Diese Flüssigkeitsströmung beeinflusst die Wärmeübertragung auf zweierlei Weise. Erstens erhöht sie die Abfuhr der Überhitzung in der Form, indem sie verhindert, dass diese entlang des Strangs transportiert wird. Zweitens führt dies zu einem verstärkten Transport der unterkühlten Flüssigkeit von der Mitte des Strangs hoch bis zur EMS-Ebene. Auf diese Weise wirkt der Rührer nicht als Dendritenbrecher, sondern eher als Kühler [6].

Als Referenzfall wird ein Knüppelstrangguss mit elektromagnetischem Kokillenrühren aus der Referenz [5] gewählt. **Bild 2** zeigt links (a) die Ergebnisse der simulierten Temperaturverteilung in der Strangmittelebene. Der Farbbalken ist in drei Bereiche unterteilt, die sowohl die flüssigen als auch die festen Phasen und die breiige Zone anzeigen. Im Fall „EMS - Aus" dringt Schmelze mit einer Temperatur oberhalb der Liquidustemperatur in den Strang ein und bildet eine lange, schmale Brei-Zonen-Schicht. Im Fall mit EMS hingegen, bildet sich bereits auf der EMS-Ebene eine stabile Brei-Zone.

Das Diagramm in **Bild 2** (rechts - b) zeigt, dass die Temperatur der Mittellinie vor dem Formausgang unter die Liquiduslinie fällt. Daher wird mehr flüssiges Kernvolumen unterkühlt. Solche Bedingungen sind für eine stabile gleichachsige Kornentwicklung in der Mitte des Strangs wünschenswert. Erst wenn die Überhitzung abgebaut ist und die Flüssigkeit auf eine Temperatur zwischen dem Liquidus- und dem

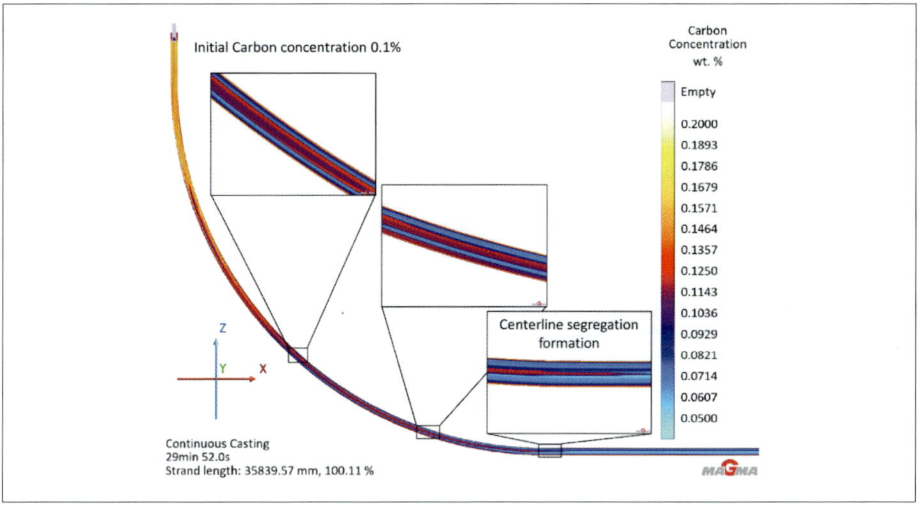

Bild 3. Kohlenstoffkonzentration in dem plattenförmigen Strang (Bild: Magma)

Solidusbereich abkühlt, können kleine gleichachsige Kristalle in der flüssigen Phase entstehen und mit dieser koexistieren. Das Ergebnis veranschaulicht und bestätigt die in der Übersichtsarbeit [6] dargestellten Erkenntnisse.

2 - Bildung von Segregation. Seigerung ist ein Gussfehler, der als ungleichmäßige Verteilung von Legierungsbestandteilen im Gusshalbzeug definiert ist. Die numerische Modellierung kann helfen, diesen Fehler vorherzusagen und optimale Guss- oder EMS-Parameter zu definieren, um ihn zu vermeiden.

Als Referenzfall für die Modellierung der Seigerungsbildung verweisen wir auf [7], wo das Stranggießen von nichtrostendem Stahl mit EMS simuliert wird. Ein brammenförmiger Strang mit einem Querschnitt von 200 mm × 1258 mm wird mit einer Gießgeschwindigkeit von 1,2 m/min abgezogen. Der elektromagnetische Rührer besteht aus zwei Wandermagnetfeldinduktoren, die an den Kokillenbreitseiten knapp unterhalb des Meniskus angeordnet sind. Die temperaturabhängigen thermophysikalischen Eigenschaften der Gusslegierung werden mit dem Tool JMatPro [8] berechnet.

Bild 3 zeigt die Verteilung der Kohlenstoffkonzentration im Strangmittelteil. Die Anfangskonzentration beträgt 0,1 %. In den Zoomansichten ist ein Mechanismus der Entmischungsbildung zu erkennen. Das erstarrte Metall stößt Kohlenstoff in die flüssige Phase in der Strangmitte ab und hat eine Konzentration von weniger als 0,1 %. Diese lösungsreiche Flüssigkeit wird entlang des zurückgezogenen Strangs immer enger. Am Ende des Strangbogens (wo er waagerecht ist) wird die Bildung der Mittellinienseigerung gezeigt.

3 - Thermomechanische Kopplung. Bei der Modellierung verschiedener thermischer Pro-

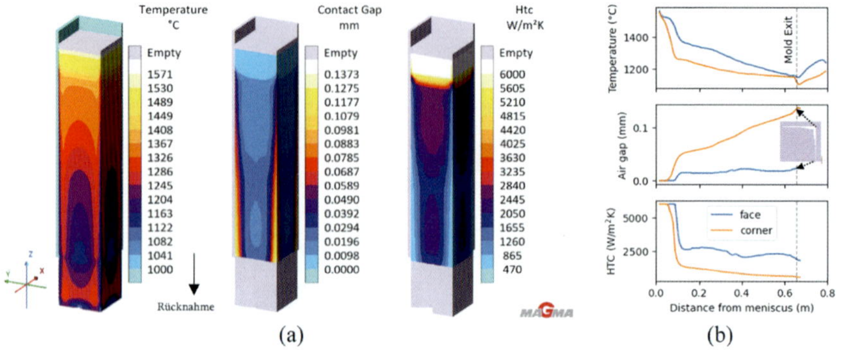

Bild 4. Temperatur, Kontaktspalt und Wärmeübergangskoeffizient an der Schnittstelle zwischen Strang und Form (Bild: Magma)

zesse spielt der Wärmeübergang an der Grenzfläche eine wichtige Rolle. Dies gilt insbesondere für die Erstarrung in der Kokille, wo die Abkühlbedingungen durch den Wärmeübergangskoeffizienten (Htc) zwischen der Schmelze und der wassergekühlten Form bestimmt werden. Durch die intensive Abkühlung kommt es zu einer thermischen Verformung des teilerstarrten Stranges, die zu ungleichmäßigem Kontakt und zur Bildung von Luftspalten zwischen Strang und Formoberfläche führt. Eine genaue Definition des lokalen Htc in der Form ist wichtig, um eine genaue Berechnung der Wärmeabfuhr- und Erstarrungsbedingungen zu erhalten. Um diesen 3D-Wärmeübergangskoeffizienten zu erhalten, wurde eine thermomechanische Modellierung durchgeführt. Bei diesem Ansatz wurde ein Temperaturfeld als treibende Kraft für die Berechnung der thermischen Verformung des erstarrten Strangs verwendet und der Kontaktspalt in der Form ermittelt. Es wurde angenommen, dass der lokale Wärmeübergangskoeffizient, Htc, mit dem Spalt wie folgt zusammenhängt:

(1)
$$Htc = \frac{1}{\frac{1}{h_0} + \frac{1}{h_{air} + h_{rad}}}$$

(2)
$$h_{air} = \frac{\lambda_{air}}{\delta_{gap} + r_c}$$

wobei

- h_0 – anfänglicher Wärmeübergangskoeffizient,
- λ_{air} – Wärmeleitfähigkeit der Luft,
- ∂_{gap} – Luftspalt Strang – Form,
- r_c – Oberflächenrauhigkeit,
- h_{rad} – Strahlungswärmeübergangskoeffizient.

Zur Prüfung der thermomechanischen Kopplung wurde ein Fall im Labormaßstab aus [9] herangezogen. Es wurden dieselben Materialeigenschaften, Randbedingungen und Gießparameter verwendet, nur die Geometrie des Strangs wurde von einem runden zu einem quadratischen Knüppel geändert. **Bild 4** zeigt die Ergebnisse dieser Testfallsimulation. Die Anfangstemperatur des entnommenen Knüppels sinkt aufgrund des Wärmeentzugs in der Form von 1570°C auf ~1150°C. Diese Abkühlung führt zu einer mechanischen Verformung der erstarrten Schale, und es entsteht ein Spalt zwischen dem Bolzen und der Form. Dieser Kontaktspalt ist an den Ecken der Form stärker ausgeprägt und erreicht 0,13 mm. Nach **Gleichung 1** wird der Wärmeübergangskoeffizient zwischen dem Gussstück und der Formoberfläche unter Berücksichtigung des Luftspalts neu berechnet. Der Htc wird von den anfänglichen 6000 W/m² K auf 2500 W/m² K an den Knüppelflächen und auf 500 W/m² K an den Ecken des Knüppels reduziert.

Schlussfolgerungen

In diesem Beitrag wird die Simulation multiphysikalischer Phänomene im Stahlstranggussverfahren dargestellt. Dabei werden insbesondere die Strömung des flüssigen Metalls (einschließlich EMS), die Wärmeübertragung, die Erstarrung und die thermomechanische Verformung berücksichtigt. Die Validierung der Fluiddynamik erfolgte durch den Vergleich der berechneten mit den experimentell gemessenen Geschwindigkeiten. Es wird gezeigt, wie es mit Hilfe von EMS möglich ist, die Überhitzungsverteilung zu steuern und so die gewünschten Bedingungen für gleichachsiges Kristallwachstum zu schaffen. Die Simulationsergebnisse der Entmischungsbildung für den industriellen Strangguss werden demonstriert. Die berechnete Spaltbildung zwischen Gussteil und Kokille kann dabei helfen, einen genauen Wärmeübergang zwischen Gussteil und Kokille vorherzusagen. Die vorgestellten Ergebnisse spiegeln die Zusammenfassung der aktuellen Entwicklungen in MAGMASOFT® für Stranggussanwendungen wider.

Literatur

[1] Thomas, B. G. (2018): Review on Modeling and Simulation of Continuous Casting. steel research int., 89, 1700312. https://doi.org/10.1002/srin.201700312

[2] Fainberg, J., Hepp, E., and Shvydkii, E. (2023): How electromagnetic stirring influences fluid flow in continuous casting of steel. IOP Conference Series: Materials Science and Engineering, 1281, 012030. https://doi.org/10.1088/1757-899x/1281/1/012030

[3] Timmel, K. (2014): Experimentelle Untersuchung zur Strömungsbeeinflussung mittels elektromagnetischer Bremsen beim kontinuierlichen Strangguss von Stahl. PhD-Thesis, TU Bergakademie Freiberg.

[4] Timmel, K., Kratzsch, C., Asad, A., Schurmann, D., Schwarze, R., & Eckert, S. (2017): Experimental and Numerical Modeling of Fluid Flow Processes in Continuous Casting: Results from the LIMMCAST-Project. IOP Conference Series: Materials Science and Engineering, 228, 012019. https://doi.org/10.1088/1757-899x/228/1/012019

[5] Zhang, Z., Wu, M., Zhang, H., Ludwig, A. and Kharicha, A. (2022): The Role of Mold Electromagnetic Stirring in the Dissipation of Superheat during the Continuous Casting of Billets. steel research int., 93, 2200065. https://doi.org/10.1002/srin.202200065

[6] Kunstreich, S. (2003): Electromagnetic stirring for continuous casting - Part 2. Rev. Met. Paris, 100 (11), 1043-1061.

[7] Kihara, K., Okada, N., Saito, S., & Kawashima, K. (2022): Numerical Simulation of Macrosegregation in a Continuous Casting Mold with Electromagnetic Stirring. ISIJ International, 62 (9), 1862–1873). https://doi.org/10.2355/isijinternational.isijint-2022-120

[8] https://www.sentesoftware.co.uk/jmatpro

[9] Kelly, J. E., Michalek, K. P., O'Connor, T. G., Thomas, B. G., & Dantzig, J. A. (1988): Initial development of thermal and stress fields in continuously cast steel billets. Metallurgical Transactions A., 19 (10), 2589–2602. https://doi.org/10.1007/bf02645486

OPTIMIERTES ENERGIEMANAGEMENT

Mannstaedt reduziert Energiebedarf durch effizientere Abwärmenutzung

Der Troisdorfer Hersteller von warmgewalzten Spezialprofilen nutzt zukünftig die Abwärme seiner Produktionsanlagen, um sie in das eigene Wärmeversorgungsnetz einzuspeisen. Durch die in Zusammenarbeit mit E.ON ermittelten Optimierungsmaßnahmen reduziert das Unternehmen seinen Energiebedarf für die interne Wärmeversorgung um knapp 40 Prozent und senkt seinen jährlichen CO_2-Ausstoß um mehr als 1.800 Tonnen.

Die Mannstaedt GmbH setzt in den kommenden Jahren auf ein nachhaltiges Energiekonzept. Das zur GMH Gruppe gehörende Unternehmen hat ein umfangreiches Energieeffizienzprogramm aufgelegt, mit dem die CO_2-Emissionen deutlich reduziert werden. Insgesamt plant der Troisdorfer Hersteller von warmgewalzten Spezialprofilen, mit seinem Maßnahmenpaket mehr als 1.800 Tonnen an CO_2-Emissionen pro Jahr einzusparen. Das entspricht nach einer Berechnung der Verbraucherzentrale Nordrhein-Westfalen den jährlichen Emissionen von 450 bis 500 gasbeheizten Einfamilienhäusern älteren Baujahrs.

Damit einher geht die Einsparung von mehr als acht Prozent des jährlichen Erdgasver-

Vorblöcke im Aufwärmofen der Feinstraße
(Bild: GMH Gruppe)

> **Die Nutzung der Abwärme bietet für uns den größten Hebel zur Einsparung von CO_2-Emissionen.**
>
> *Sebastian Ahrens, Commercial Director bei Mannstaedt*

brauchs am Standort. Herzstück des Programms ist eine von E.ON bereitgestellte Wärmetauscheranlage. Heiße Abgase einer Produktionsanlage werden durch diese neue Anlage geleitet und erwärmen dort Heizwasser, das anschließend in den Wärmeversorgungskreislauf am Standort eingespeist wird. Bisher entwich diese wertvolle Energie ungenutzt als Abgas über den Schornstein in die Umgebung.

Allein durch diese Maßnahme plant das Unternehmen, künftig fast 30 Prozent seines thermischen Energiebedarfs einzusparen. Im Zuge der Zusammenarbeit mit E.ON Energy Infrastructure Solutions hat Mannstaedt zudem verschiedene Optimierungen an seinen Produktionsanlagen angestoßen. Daraus ergeben sich weitere Einsparpotenziale an thermischer Energie von bis zu zehn Prozent.

„In intensiven Gesprächen mit E.ON haben wir verschiedene Optionen für ein nachhaltiges Energiekonzept geprüft", beschreibt Sebastian Ahrens, als Commercial Director der Projektverantwortliche bei Mannstaedt, den Verlauf der Zusammenarbeit mit E.ON Energy Infrastructure Solutions. „Dabei sind wir gemeinsam zu dem Schluss gekommen, dass die Nutzung der Abwärme auch aufgrund der Leistungswerte unserer Produktionsanlagen den größten Hebel zur Einsparung von CO_2-Emissionen bietet. Und das in einer Größenordnung, die auch für E.ON nicht alltäglich ist."

Alexander Fenzl, Chief Sales Officer bei E.ON Energy Infrastructure Solutions Germany ergänzt: „Die Planung und Umsetzung dieses Projekts ist aufgrund seiner Zielwerte und der Ausmaße der Wärmetauscheranlage auch für uns eine besondere Herausforderung. Wir sind stolz darauf, damit einen wichtigen Beitrag zum nachhaltigen Energiekonzept von Mannstaedt leisten zu können."

Das Investitionsvolumen für die durch E.ON gelieferte Hauptanlage liegt bei rund drei Millionen Euro. Das Projekt soll mit öffentlichen Mitteln in Höhe von rund 900.000 Euro gefördert werden. Entsprechende Förderanträge wurden bereits bei den zuständigen Behörden gestellt.

Mannstaedt nutzt die Anlage im Rahmen eines Pacht- und Betreibervertrages. Die Bautätigkeiten sollen Mitte des Jahres 2024 beginnen. Die besondere Herausforderung dabei: Die Installation der Anlage und alle anderen baulichen Maßnahmen müssen so präzise vorbereitet sein, dass sie während der Werksferien durchgeführt werden können, ohne die laufende Produktion zu beeinträchtigen. Zum Jahresende 2024 soll die Anlage den Betrieb aufnehmen. Das richtungsweisende Projekt ist eine von vielen Transformationsmaßnahmen, die die GMH Gruppe derzeit mit der Zielsetzung umsetzt, bis 2039 eine klimaneutrale Produktion zu erreichen.

GMH Gruppe

IM COILLAGER

Bang Kransysteme liefert zwei high-end Prozesskrane an Stahlhersteller

Die Krane wurden so konzipiert, um den anspruchsvollen Anforderungen moderner Coillager gerecht zu werden: Die variable Funk- und Kabinensteuerung, sowie eine Schnittstelle zum Lagerverwaltungssystem zählen dazu. Hochmoderne LiDAR-Sensoren ermöglichen außerdem eine vollautomatische Be- und Entladung von Waggons und LKWs. Die reibungslose Logistik wird damit sichergestellt.

Der Einsatzort des Krans: das Coillager (Bild: Bang Kransysteme)

Der Probebetrieb für zwei Hochleistungs-Coilkrane wurde kürzlich erfolgreich absolviert. Diese hochmodernen Krane wurden speziell entwickelt, um den anspruchsvollen Anforderungen der Anlage mit kurzen Zykluszeiten und präziser Positionierung gerecht zu werden und einen reibungslosen Betrieb zu gewährleisten. Das Lagergut und die Umgebung werden mit speziell entwickelten LiDAR-Sensoren mit hoher Präzision erfasst und ermöglichen die vollautomatische Be- und Entladung von Waggons und LKWs.

Die technischen Details der gelieferten Krane sind vorzeigbar. Einer der beiden Krane ist mit einer Coilzange ausgestattet und kann sowohl per Funkfernsteuerung oder Kabinensteuerung arbeiten, während die auf der gleichen Kranbahn laufenden zweite Krananlage mit einem Magnet und Vollautomatikfunktion betrieben wird. Beide Krane sind mit einem Lagerverwaltungssystem verknüpft und können zentral von der Produktionsleitung überwacht und gesteuert werden. Die Krane verfügen über eine Spannweite von 34.200 mm bei einem Eigengewicht von ca. 200 Tonnen und bestreichen eine Halle von 265 Metern Länge. Jedes Lastaufnahmemittel weist eine Tragfähigkeit von 36 Tonnen auf.

Drehtraverse schafft Flexibiltät

Eine herausragende Eigenschaft dieser Krane ist die vielseitige Drehtraverse, an der mittels kardanischer Aufhängung ein Haken, eine Coilzange oder ein Magnet befestigt werden kann. Diese Flexibilität ermöglicht es den Kranen,

Der Prozesskran während der Coilverladung (Bild: Bang Kransysteme)

eine Vielzahl von Aufgaben zu bewältigen, darunter die Bestückung des Einlaufs von Trailern und Waggons im Vollautomatikmodus, die Entladung des Auslaufs sowie das Handling im Lagerbereich.

Im Coillager werden sowohl das Vormaterial als auch das Fertigmaterial ein- und ausgelagert. Es besteht aus mehreren einzelnen Bereichen, die sich aus dem Materialfluss ergeben: Anlieferbereich, Lager Einlauf, Sperrlager, Verpackung, Versandlager usw. Die Coils werden in einem umzäunten und mit überwachten Türen gesicherten Lager zweireihig gestapelt.

Die Rohbunde werden mittels Palettenfahrzeug, LKW oder auch Waggon angeliefert. Die Bang Krane transportieren im dreischichtigen Betrieb die Coils entweder mit Magnet oder Bundheber (Coilzange) im Automatikbetrieb, im Teilautomatikbetrieb (Semi-Automatik) oder im manuellen Betrieb per Kranführerhaussteuerung oder Funkfernsteuerung.

Die Überwachung sowie die Plausibilitäts- und Sicherheitsprüfungen erfolgen in einem separaten System in einer Bodenstation in Verbindung mit einem Kran-Koordinaten-System.

Das Lagerverwaltungssystem sendet einen Transportauftrag mit den zugehörigen Start-Ziel Coil-Koordinaten an den Kranrechner. Dieser berechnet im Automatikmodus, unter Berücksichtigung der Sicherheitsvorgaben die zulässige Fahrtroute. Die Kransteuerung führt dann den Transportauftrag durch. Im manuellen Modus entscheidet der Kranbediener. Der Zugriff auf alle Lagerbereiche erfolgt durch beide Krane.

Bis zu 40 Tonnen werden bewegt

Mit einer Verfügbarkeit von mindestens 99 % stellen die Krane sicher, dass der Produktionsprozess kontinuierlich und zuverlässig abläuft. Die zu transportierenden Coils zeichnen sich durch folgende Eigenschaften aus:

Der Kran verfügt über drei Bedienarten: Hand-Semi- und Vollautomatik (Foto: Bang Kransysteme)

- Masse: bis zu 36 Tonnen (Sonderlast bis 40 Tonnen für Prüfcoil)
- Breite 900 mm bis 1.900 mm
- Innendurchmesser: 610 mm ggf. 508 mm
- Außendurchmesser: bis zu 2.400 mm

Stolz auf Zuverlässigkeit

„Wir sind stolz darauf, dass wir dieses Projekt umsetzen durften. Unser System liefert innovative Lösungen, die die Effizienz und Sicherheit der Anlage erhöhen", bestätigt Christoph Bang, Geschäftsführer von Bang Kransysteme. „Unsere hochmodernen Krane bieten die Leistung und Zuverlässigkeit, die für anspruchsvolle Industrieanwendungen erforderlich sind."

Mit der erfolgreichen Inbetriebnahme dieser Anlage setzt Bang Kransysteme erneut wegweisende Standards in der Krantechnologie und betont seine führende Stellung als Anbieter von hoch performanten und sicheren automatisierten Intralogistikprozessen.

Bang Kransysteme

Der Kran im Einsatz (Bild: Kranbau Köthen / Hüttenwerke Krupp Mannesmann)

ENERGIEEFFIZIENZ

Energiemanagement und Speicherlösungen für den effizienten Kranbetrieb

Durch die Kombination von Energiespeichersystemen und optimiertem Energiemanagement können Netzinfrastrukturen entlastet, die Verfügbarkeit erhöht und Kosten im operativen Bereich, wie auch bei Investitionen gesenkt werden. Die Vernetzung von Energiespeichern ermöglicht ein intelligentes Lastmanagement und eine optimale Nutzung der verfügbaren Energie.

Intelligente Energiemanagementsysteme können den Energieverbrauch der Krane überwachen und optimieren. Energiemanagement- und Batteriespeichersysteme in Kombination stellen eine leistungsstarke Lösung für die energetische Optimierung eines Kranes dar. Gerade die sinkenden Preise von Lithium-Ionen-Batterien bieten neue Möglichkeiten für den Einsatz von Energiespeichertechnologien auf Kranen. Die Optimierung der Krane mittels Energiemanagement-Lösungen ermöglicht es den Stahlunternehmen, sich an die sich verändernden Anforderungen im Hinblick auf Nachhaltigkeit und Energieefizienz anzupassen und gleichzeitig die Verfügbarkeit ihrer Anlagen zu erhöhen. Entsprechend wurden Lösungen entwickelt, um das durch den Kranbetrieb verursachte Spitzenlastprofil so nah wie möglich an ein Konstantlastprofil anzupassen und somit die Rückwirkungen auf die vorhandene Infrastruktur zu reduzieren.

Überschüssige Energie speichern

Die Auslegung einer idealen Speicherlösung für netzbetriebene Krane zielt darauf ab, die Belastung des Stromnetzes durch Lastspitzen zu reduzieren und eine wirtschaftliche Energieversorgung zu gewährleisten. Einer der Hauptvorteile besteht darin, dass die Speicherung von überschüssiger Energie, insbesondere Senk- und Bremsenergie, ermöglicht wird. Diese gespeicherte Energie kann dann intelligent wiederverwendet werden, um die Spitzenlast zu reduzieren und gleichzeitig die Kranleistung aufrechtzuerhalten.

Die Implementierung eines solchen Energie- und Speichermanagementsystem (ESSM) bietet sowohl betriebliche als auch finanzielle Vorteile für den Kranbetreiber im Werk. Durch die Reduzierung der Spitzenleistung können Betriebskosten gesenkt werden, da Energieversorger oft Leistungspreise basierend auf den 15-minütigen Spitzenwerten berechnen. Durch die lokale Wiederverwendung der regenerativen Energie aus der Kranapplikation können der bezogene Energieverbrauch und die entsprechenden 15-minütigen Werte am Netzanschlusspunkt erheblich reduziert werden.

Darüber hinaus können die Investitionskosten durch die Verwendung geeigneter Speicherlösungen erheblich gesenkt werden. Da die Maximalleistung von netzbetriebenem Kranen oft nur für kurze Zeit abgerufen wird, müssen die Netzkomponenten nicht für diesen kurzfristigen Betriebspunkt dimensioniert werden, was eine Überdimensionierung bezogen auf die Auslegung auf Konstantleistung bedeutet. Die Implementierung einer passenden Speicherlösung ermöglicht es, die Investitionskosten für Überdimensionierung, um bis zu 80 % zu reduzieren. Zudem sind schon heute viele Krane, mit elektromagnetischen Aufnahmemitteln, mit Batterien ausgerüstet, um im Falle eines Netz-Blackouts die Lasten zu halten. Diese Batterien können nun gleichzeitig für die Energieoptimierung eingesetzt werden.

Betrieb bei Netz-Blackout kurzzeitig möglich

Die Batteriespeicherlösungen für netzbetriebene Krane arbeiten im „Peak-Shaving" Betrieb, indem der Energiespeicher die Energie für die Lastspitzen aus der Batterie bereitstellt bzw. speichert. Darüber hinaus besteht die Möglichkeit, die Speicher der einzelnen Krane miteinander zu vernetzen, um eine optimale Nutzung der gespeicherten Energie zu ermöglichen. Auch in dem Fall eines Netz-Blackouts können die Krane über die gespeicherte Energie zumindest den aktuellen Verfahr-Auftrag zu Ende führen. In Abhängigkeit von der Batteriegröße, kann der Betrieb aber auch einige Stunden aufrechterhalten werden, bis die Energieversorgung wieder hergestellt wurde.

Ein intelligentes Lastmanagement im Speicherverbund hilft, die Kapazitäten der Speicher und den Energiebedarf der Verbraucher besser aufeinander abzustimmen. So können beispielsweise Krane mit einem geladenen Speicher, andere Krane speisen, anstatt Energie für das Nachladen aus dem Netz zu beziehen. Insgesamt sprechen viele Argumente für eine Speicherlösung: geringere Bedarf an Spitzenlasten aus dem Netz, dadurch eine bessere Ausnutzung der Netzinfrastruktur, geringere Energiekosten und netzunabhängiger Betrieb. Auch sind manchmal „performance updates" der Krane möglich ohne die Einspeisedimensionierung anzupassen.

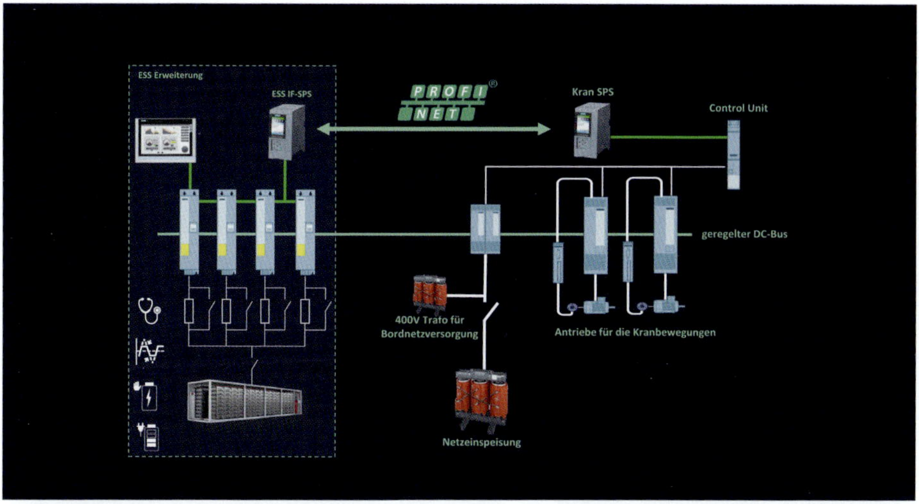

Das Simocrane Energy Storage System lässt sich sowohl in einen bestehenden Kran nachrüsten als auch in einen neuen Kran integrieren (Bild: Siemens)

Durch die Nutzung der Lastprofile der einzelnen Krane können Worst-Case-Szenarien analysiert und mithilfe von Simulationen optimiert werden. Indem die Lastprofile in die Simulation eingegeben werden, können verschiedene Szenarien durchgespielt werden, um den Energieverbrauch und die Effizienz der Anlage zu optimieren. Dies ermöglicht es, potenzielle Engpässe oder Überlastungen frühzeitig zu erkennen und geeignete Maßnahmen zu ergreifen, um die Energieverteilung und -nutzung innerhalb der Anlage zu optimieren. Auf diese Weise kann das Energiemanagement kontinuierlich verbessert werden, um die Effizienz zu steigern und Kosten zu senken.

Fazit

Kranhersteller und -betreiber sollten sich an die neuen Anforderungen der Nachhaltigkeit anpassen und Lösungen implementieren, die den Einsatz von emissionsarmen Technologien und erneuerbaren Energien ermöglichen. Die Kombination aus integriertem Energiespeichersystem und optimiertem Energiemanagement auf Kranen trägt maßgeblich zur Entlastung der Netzinfrastruktur bei und verringert parallel die Rückwirkung auf die Versorgungsnetze. Die Speicherlösung reduziert den Bedarf an Lastspitzen aus dem Netz, verringert die Anschlussleistung um bis zu 80 % und senkt die Energiekosten um bis zu 65 %. Das macht die Anwendung von Speichern im Kranbetrieb zu einer nachhaltigen und wirtschaftlichen Alternative für neue und bestehende Krane.

Siemens

Bild 1: Vollautomatischer Coilkran mit Lennix® Pro ausgestattet (Bild: Lehnert Regelungstechnik)

KRANASSISTENZSYSTEME

Kranbetrieb effizienter gestalten: moderne Pfadplanung durch Automatisierung

Seit 2009 entwickelt, fertigt und liefert die Lehnert Regelungstechnik GmbH innovative Lösungen im Bereich der Kranassistenzsysteme. Das Produkt Lennix® Pro kombiniert modulare Hard- und Software, um die Lastpendeldämpfung zu erweitern; vom handbedienten bis zum vollautomatischen Kran.

Lehnert Regelungstechnik GmbH liefert weltweit pro Jahr ca. 100 Systeme von Lennix® Pro, hauptsächlich für vollautomatische Coil-Krane (**Bild 1**). Mit einer Funktion bringt das Unternehmen eine neue Dimension der Effizienz und Sicherheit in die Kranautomatisierung: Die gewichtete Pfadplanung nicht nur strecken- oder zeitoptimal, sondern auch energieeffizient.

Nutzervorteile beim Kraneinsatz

Die Pendeldämpfung entlastet die Kranfahrer (Produktivitätssteigerung 5-8%) oder ermöglicht überhaupt einen vollautomatischen Umschlag. Funktionen wie die Gleichlaufregelung oder die Dämpfung von Konstruktionsschwingungen verringern den Verschleiß der Krananlage. Sämtli-

Bild 2: Die Lennix® Pro Hardware besteht aus Kamera, Regler und Reflektor (Bild: Lehnert Regelungstechnik)

che Ein- und Ausgangssignale werden mitgeschrieben und im Web-Interface können sich Kranbetreiber verschiedene Leistungsparameter wie bspw. die zurückgelegte Strecke, den Umschlag oder den Energieverbrauch anzeigen lassen und darüber Rückschlüsse über Wartungsintervallen von Komponenten ziehen.

Klar ist: Zeit ist Geld, und geringe Umschlagszeiten stehen im Fokus, wenn der Kran den Engpass im Produktionsprozess darstellt. Doch bei weniger relevanten Kranen oder bei Kranen, die nur phasenweise voll ausgelastet sind, bietet sich neuerdings der „Energiesparmodus" zur energieeffizienten Pfadplanung an. Dabei wird dann nicht die kürzeste oder schnellste Route, sondern die, mit dem geringsten Energieverbrauch berechnet. Denn in Zeiten steigender Energiekosten ist es notwendig, auch bei der industriellen Automatisierung auf energieeffiziente Lösungen zu setzen.

Modularität als Produktphilosophie

Lennix® Pro besteht aus einem industriellen PC und optional aus einer GigE-Kamera, die mit einem Infrarotblitz ausgestattet ist und die Position (x, y, z und Verdrehung phi) des an der Unterflasche des Hubwerks befestigten Reflektors misst.

Das Herzstück des Reglers bildet ein mathematisches Schwingungsmodell des Krans und kann sowohl modellbasiert als Steuerung oder auch erweitert mit der Kamera und Reflektor als geschlossene Regelung verwendet werden (**Bild 2**). Neuerdings kann auch ein Drehwerk durch eine Linearisierung der Pendellänge, des Massenträgheitsmoments und des Drehmoments ohne einen zusätzlichen Beobachter sehr genau gedämpft und positioniert werden. Weitere Funktionen, wie etwa ein Kollisionsschutz zum Nachbarkran, ein Spur- oder Gleichlaufregler zur Verringerung des Verschleißes an den Spurführungselementen oder die umfangreiche Hindernisverwaltung, kann optional geliefert werden. Die Optimierung von Fahrwegen erfordert einen ganzheitlichen Ansatz, der sowohl physikalische als auch betriebliche Aspekte berücksichtigen muss. Dies umfasst die Betrachtung von Kranbewegungen, die Berücksichtigung der maximalen Geschwindigkeiten sowie die Implementierung von Algorithmen, die eine effiziente Koordination der Bewegungen ermöglichen.

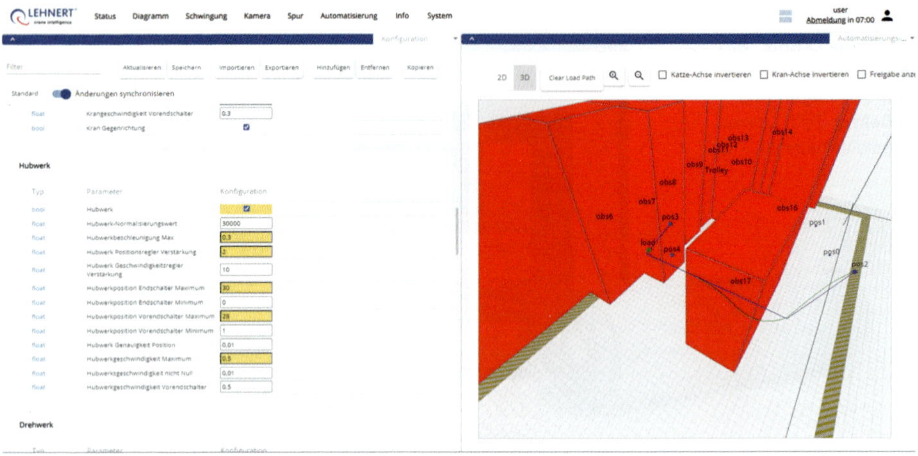

Bild 3: Routenplanung und Simulation energieeffizient in der 3D Ansicht im Web-Interface
(Bild: Lehnert Regelungstechnik)

Fahrwege optimieren

Die Herausforderung bei der Wegoptimierung liegt in der komplexen Dynamik von Kranen, die oft durch Bewegungsachsen mit verschiedenen Geschwindigkeiten beeinflusst wird. Die Berechnung des kürzesten Weges würde die benötigte Zeit oder auch die Energie, die für bestimmte Strecken notwendig ist, vernachlässigen. Ein ineffizienter Weg kann zu erhöhtem Energieverbrauch oder verlängerten Betriebszeiten führen. Die Optimierung der Fahrwege ist daher entscheidend, um Kosten zu senken, die Effizienz zu steigern und die notwendige Sicherheit zu gewährleisten. Die Optimierung nach Kriterien wie Weg, Zeit und Energie ist eine komplexe Herausforderung, die weit über die Fähigkeiten gängiger Navigationsprogramme hinausgeht. Diese Programme lösen in der Regel nur eindimensionale oder stark vereinfachte Probleme.

Ein Beispiel für multi-kriterielle Wegfindung sind Elektroautos, deren eingebaute Navigationssoftware nicht nur die Route, sondern auch die Standorte von Ladestationen und den Akkustand berücksichtigt, um sicherzustellen, dass der Akku stets genügend Reichweite besitzt. Solche Probleme fallen unter den Bereich der Mehrzieloptimierung oder Pareto-Optimierung. Algorithmen für Mehrzieloptimierung suchen die beste Lösung basierend auf mehreren Kriterien gleichzeitig; nicht nur basierend auf der Streckenlänge, sondern auch auf Faktoren wie Energieverbrauch, Zeit und Sicherheit. Die optimale Lösungsmenge, auch Pareto-Front genannt, besteht daher nicht nur aus einer einzigen Lösung, sondern aus einem Spektrum optimaler Lösungen. Hierbei kann der Entscheidungsträger entweder im Nachhinein (a posteriori) seine bevorzugte Lösung auswählen oder im Voraus (a priori) seine Präferenzen festlegen.

Weil eine a-priori-Lösung in vielen Fällen vorteilhafter ist, wurde sich bei Lennix® Pro für diesen Ansatz entschieden. Dabei bestimmt der Nutzer im Voraus, welche Kriterien (Zeit oder Energie) priorisiert werden sollen, was die autonome Navigation von Kranen ermöglicht. Im Gegensatz zur a-posteriori-Methode, bei der alle möglichen Lösungen generiert werden

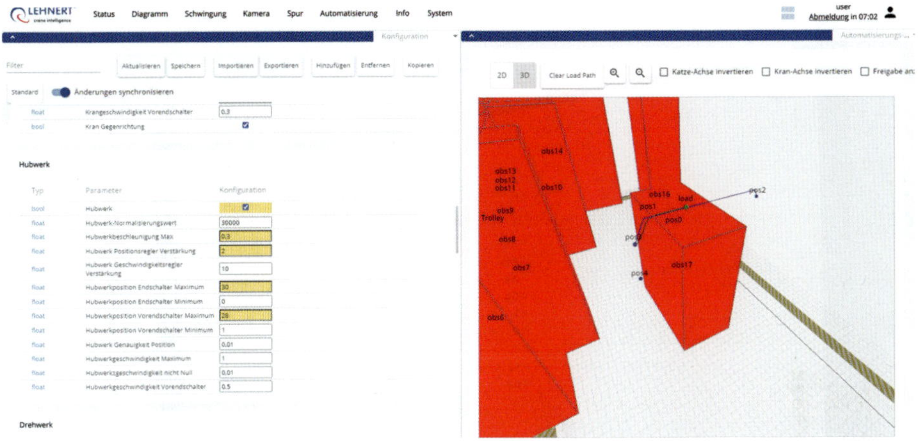

Bild 4: Routenplanung und Simulation streckenoptimal in der 3D Ansicht im Web-Interface
(Bild: Lehnert Regelungstechnik)

(was zu hoher Komplexität und langen Rechenzeiten führen kann), ermöglicht die entwickelte Methode eine Vereinfachung des Problems auf eine Optimierungsdimension, bei der Lösungen effizienter gefunden werden.

Im Beispiel (**Bild 3** und **Bild 4**) sind zwei Routenplanungen dargestellt, einmal streckenoptimal und energieeffizient. Die kürzeste Route von Position 2 zu Position 3 geht über das Hindernis und der Betrag ist 24,11 m. Die energieeffiziente Route um das Hindernis ist zwar mit 30,77 m länger, aber vermeidet einen Hub von ca. 3 m. Angenommen die Last ist 40 t schwer, das entspricht einer Energieeinsparung von ca. 1,18 MJ. Mit der streckenoptimalen Route ist die Last ca. 2,5 s früher am Ziel. Die Lastschwingung wird in beiden Fällen gleich gut ausgeregelt und die Last wird entlang des Pfades synchron auf einer Linie gefahren.

Inbetriebnahme mit Web-Interface

Die Inbetriebnahme des Systems über das Web-Interface, welches auch für mobile Endgeräte optimiert ist, ermöglicht es Nutzern mit grundlegenden technischen Krankenntnissen, Lennix® Pro effektiv zu nutzen (**Bild 5**). Das Interface führt die Anwender schrittweise durch die Inbetriebnahme, vereinfacht die Umschaltung zwischen verschiedenen Optimierungsarten und bietet eine zentrale Plattform zur Überwachung und Anpassung der Systemeinstellungen. Durch die eigenständige kundenseitige Inbetriebnahme können erhebliche Servicekosten eingespart werden. Zudem ermöglicht das Interface das Protokollieren von Systemzuständen, was für Wartung, Fehlerbehebung und der Auswertung von betriebsrelevanten Systemdaten unerlässlich ist.

Wartungsarbeiten können über das Interface vorgenommen werden, wodurch das System stets auf dem neuesten Stand gehalten werden kann und die Sicherheit sowie Effizienz der Anwendung gewährleistet sind. Remotezugriffe auf das Web-Interface für Wartungsarbeiten sind ebenfalls Teil der Produktphilosophie von Lennix® Pro. Dies trägt dazu bei, die Betriebskosten zu senken und die Betriebsdauer der Systeme zu verlängern.

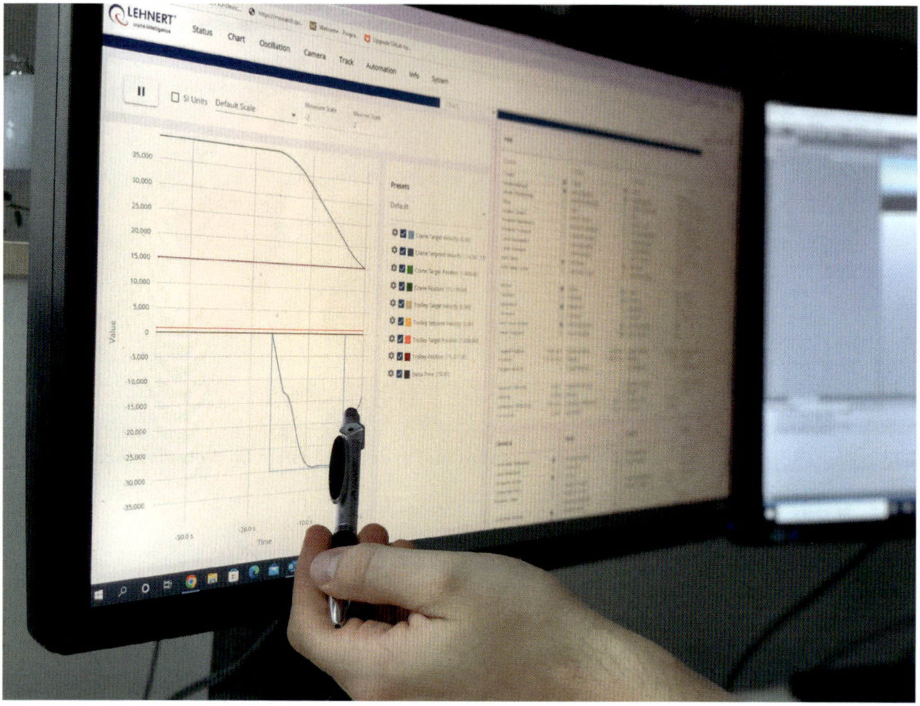

Bild 5: Web-Browser basiertes Inbetriebnahme-Tool zur einfachen Inbetriebnahme des Regelungssystems (Bild: Lehnert Regelungstechnik)

Ausblick

Durch die laufende Datenanalyse und -auswertung in einem integrierten Dashboard können betriebsrelevante Informationen genutzt werden, um die Effizienz zu steigern und Wartungsbedarfe vorauszusagen. Dies reduziert ungeplante Ausfallzeiten und verlängert die Lebensdauer der Ausrüstung. Mithilfe modernster Technologien wie computergestützter Algorithmik oder Deep Learning, kombiniert mit LiDAR-Sensoren und Kameras, kann die Greifererkennung ohne Einsatz eines Reflektors realisiert werden. Mit dem neuen Produkt Lennix® AI ist es dann möglich, die Umgebung in Echtzeit zu erfassen und Positionen von Greifern exakt zu bestimmen, was den Betrieb sicherer und effizienter macht.

Ein weiterer Ansatz ist die dynamische Echtzeit-Hinderniserkennung. Durch automatisiertes Scannen und Einlesen der Umgebung können Hindernisse erkannt und in Echtzeit in die Steuerungssysteme integriert werden. Dies verbessert nicht nur die Sicherheit im Betrieb, sondern ermöglicht auch eine flexiblere und intelligentere Routenplanung, die sich an neue Bedingungen anpasst.

Lehnert Regelungstechnik

AUTOMATISIERTE BEARBEITUNG VON ANFRAGEN UND BESTELLUNGEN

KI-gestützte Software im Auftragsmanagement

Mit einer Lösung von Evy Solutions erfasst GLA-WEL erfolgreich Kundenbestellungen sowie -anfragen und gewinnt dabei entscheidend an Effizienz. Der Automatisierungsgrad der Software kann je nach Einsatzszenario nahezu 100 % erreichen, was rund 90 % an Kosten- und Zeitersparnis bei der Dokumentenverarbeitung ergibt.

Die GLA-WEL GmbH im niedersächsischen Melle ist ein inhabergeführter, mittelständischer Metallverarbeiter mit rund 150 Mitarbeitenden. Seit 1996 produziert das Familienunternehmen u.a. hochwertige Bauteile aus Stahl, Edelstahl und Aluminium in hoher Fertigungstiefe. Die eingehenden Bestellungen der Kunden variieren dabei stark. Sie umfassen bis zu einhundert verschiedenen Positionen, die entweder entsprechend den kundeneigenen Artikelnummern oder den jeweils korrespondierenden Zeichnungsnummern sowie deren

GLA-WEL produziert mit rund 150 Mitarbeitenden hochwertige Bauteile aus Stahl, Edelstahl und Aluminium in hoher Fertigungstiefe (Bild: Mark Verwey)

> Das Tollste an der neuen Lösung ist, dass ich jetzt nicht mehr nur die Auftragssachbearbeiterin bin, sondern mittlerweile auch Stücklisten und Arbeitspläne erstelle.
>
> *Lara Meyer zu Reckendorf, verantwortlich für das Auftrags- und Bestellmanagement bei GLA-WEL*

Varianten-Index aufgebaut sind. Eine solche Bestellung manuell zu erfassen, dauerte bislang mehrere Stunden. Eine neu eingeführte, KI-basierte Software schafft das hingegen mithilfe einer intelligenten Automatisierung mittlerweile in durchschnittlich nur drei Minuten. Eine immense Zeitersparnis für die Mitarbeitenden, die die gewonnene Zeit jetzt für anspruchsvollere Aufgaben nutzen können.

Das Besondere an der Lösung von Evy Solutions ist ihr KI-gestützter, textbasierter Ansatz, dank dem sich auch aus unstrukturierten Daten relevante Informationen herauslesen und klassifizieren lassen, sprich – der Lösung ist es egal, an welcher Stelle im Text (bzw. der E-Mail oder dem Anhang) die wichtigen Informationen stehen. Anwender profitieren dadurch – je nach Einsatzszenario – von einem Automatisierungsgrad von nahezu 100 Prozent sowie von circa 90 Prozent an Kosten- und Zeitersparnis bei der Dokumentenverarbeitung. Bei GLA-WEL ist die Software seit Juni 2023 im Auftragsmanagement im Einsatz.

Integriert hat die Lösung die auf metallverarbeitende Produktionsbetriebe spezialisierte Oberschelp Unternehmensberatung GmbH. Geschäftsführer Hermann Oberschelp erinnert sich: „Vor der Einführung von Evy Xpact hat sich eine Mitarbeiterin die neue Bestellung aus dem Eingangsordner geholt und sie manuell in das, speziell auf die Metallbau-Industrie ausgelegte, ERP-System Octoflex eingegeben. Da die Bestellungen oft viele Positionen umfassen – mit langen, sperrigen Bestellnummern, dauerte das händisch, bei z.B. 100 Positionen, gut zwei Stunden und war darüber hinaus sehr fehleranfällig." Jetzt, dank der Automatisierung durch die KI-Software ist eine solche, umfangreiche Bestellung in drei Minuten im System. Inklusive Kontrolle durch die Sachbearbeiterin und ggf. nötiger händischer Ergänzungen oder Änderungen dauert die gesamte Bestellverarbeitung maximal 20 Minuten – sprich gerade einmal ein Sechstel so lange wie zuvor.

KI-Software entlastet Mitarbeitende und schafft Raum für neue Aufgaben

Lara Meyer zu Reckendorf, Vertriebs-Sachbearbeiterin bei GLA-WEL und verantwortlich für das Auftrags- und Bestellmanagement, war von Beginn an in die Einführung der Software eingebunden. Sie wusste, dass sie bzw. Mitarbeitende generell nicht überflüssig werden, sondern von der Software profitieren würden, weil diese sie entlastet, ihnen monotone Tätigkeiten abnimmt und sie dadurch mehr Zeit für wichtigere Aufgaben haben. Sie sagt: „Das Tollste an der neuen Lösung ist, dass ich jetzt nicht mehr nur die Auftragssachbearbeiterin bin, sondern mittlerweile auch Stücklisten und Arbeitspläne erstelle. Früher brauchte ich all meine Zeit zum Eingeben der Aufträge und Angebote, heute habe ich mich weiterentwickelt und bearbeite jetzt auch anspruchsvollere Aufgaben, was mir sehr viel Spaß macht."

Der voll automatisierte Importprozess von Bestellungen und Anfragen in das ERP-System funktioniert wie folgt: Die KI-Software liest aus den Dokumenten – meist PDF- oder Office-Dateien, aber auch reine E-Mail-Texte – die für die Bearbeitung des Auftrags bzw. der Anfrage nötigen Positionen aus. Dazu zählen unter anderem Mengen-, Artikel- und Kundennummer sowie Lieferadresse. Bei den Artikeln ist die führende Kennzahl meist die Nummerierung der mitgeschickten Zeichnungsnummer, auf Basis derer GLA-WEL die Bauteile unterscheidet und fertigt", erklärt Oberschelp. Diese Zeichnungsnummern haben eine Historie, die sich im Laufe des Lebenszyklus mit der Weiterentwicklung des Bauteils ändert, was wiederum am Index der jeweiligen Nummer (z.B. von A-Z oder 1-10, etc.) ersichtlich ist.

Marcel Kemner hat sowohl den Überblick über die kaufmännischen Abläufe bei GLA-WEL als auch über den KI-Prozess
(Bild: GLA-WEL)

Perfektes Zusammenspiel: Automatisierte Übertragung in das ERP-System

Die fertig ausgelesene Bestellung wird im nächsten Schritt über eine Schnittstelle in das ERP-System hochgeladen, wo der entsprechende Auftrag dazu generiert wird. Dazu passiert automatisch ein Abgleich zwischen den Daten der Bestellung und den Daten, die im System hinterlegt sind – beispielsweise die Zeichnungsnummer samt Index. Gibt es eine Abweichung im Index, werden die Stammdaten des Artikels trotzdem angelegt, aber mit dem (neuen) Index aus der Bestellung, und die Position wird im ERP-System automatisch markiert. So sieht die Sachbearbeiterin sofort, dass die Bestellposition zwar zu einem bestehenden Artikelstamm gehört, es aber eine Indexänderung gibt und sie nacharbeiten muss.

Handelt es sich nicht um eine Bestellung, sondern um eine Anfrage, aus der ein Angebot generiert wird, dann gleicht das ERP-System ebenfalls ab, ob der Artikel bereits im Artikelstamm ist oder nicht. Im zweiteren Fall legt die Lösung dazu eine freie Artikelposition ohne Artikelnummer an, die dann in Folge manuell angereichert bzw. bearbeitet werden muss, aber auf diese Weise zumindest bereits automatisch im System hinterlegt ist.

Schnell einsatzbereit und individuell anpassbar

Was die Einführung und weitere Entwicklung der Software betrifft, meint Oberschelp: „GLA-WEL konnte mit der Lösung binnen kürzester Zeit live gehen. Bereits nach zwei Wochen verarbeitete die Software die erste Bestellung exakt so, wie wir sie brauchen". Gefragt, was ihm an der Lösung besonders gut gefällt, nennt Oberschelp den Trainingsmodus der Software, der sich mithilfe diverser Schlagworte individuell erweitern und verwalten lässt. Und wenn das GLA-WEL-Team darüber hinaus Anpassungswünsche hat, so werden diese vom Hersteller immer rasch umgesetzt. „Evy unternimmt immer gleich etwas, wenn es einmal irgendwo hakt und entwickelt die KI beständig weiter, so

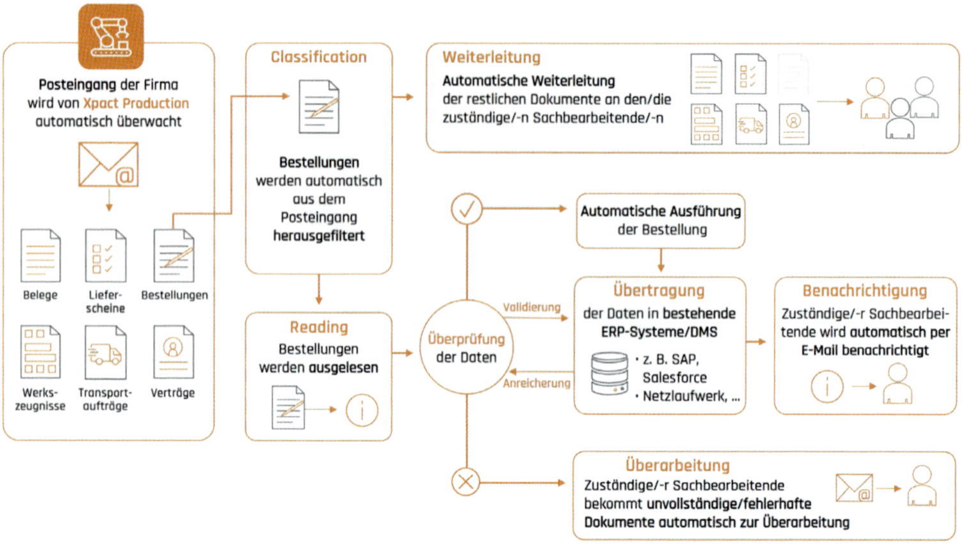

Workflow der automatisierten Bearbeitung von Anfragen und Bestellungen (Bild: Evy Solutions)

dass diese Dokumente immer noch präziser analysieren kann", weiß Oberschelp.

Fazit und Ausblick

„Das entscheidende Alleinstellungsmerkmal der Lösung ist definitiv die massive Zeitersparnis durch die automatische Erfassung und den Abgleich der Daten", meint Oberschelp. „Aber auch die Fehlerminimierung, die sich dadurch ergibt, ist ein großer Vorteil", so Oberschelp weiter. Marcel Kemner, kaufmännischer Leiter bei GLA-WEL und Geschäftsführer der Octoflex Software GmbH, hat dank seiner Doppelfunktion sowohl den Überblick über die kaufmännischen Abläufe bei GLA-WEL als auch über den KI-Prozess und die Synergien, die sich aus dem nahtlosen Zusammenspiel mit dem ERP-System ergeben. Er ergänzt: „Unternehmen, die am Standort Deutschland zukunftsfähig bleiben wollen, müssen die Möglichkeiten nutzen, die ihnen die Digitalisierung bringt. Dazu zählen bei uns vor allem die Optimierungen und Verschlankungen der an die Produktion angrenzenden Prozesse. Hier sehen wir dank der KI-basierten Automatisierung speziell im Auftragsmanagement eine immense Effizienzsteigerung und Professionalisierung, die wir kontinuierlich weiter ausbauen werden".

Mit Blick auf die Zukunft meint Herrmann Oberschelp: „An den Bestell-Emails hängen häufig Zeichnungen an, deren Dateiname mit den Zeichnungsnummern der bestellten Positionen korrespondieren. Diese Zeichnungen soll die KI-Lösung zukünftig auch direkt ins ERP-System durchreichen, welches diese dann in die belegbezogene Dokumentenablage importiert und im Anschluss automatisch mit an die jeweilige / richtige Bestellposition anhängt. Mit diesem Schritt minimieren wir die verbleibenden 20 Minuten, die die Sachbearbeiterin aktuell noch nach der Bestellerfassung bis zum Abschluss eines Auftrags aufwenden muss auf ein absolutes Minimum", freut sich Oberschelp.

Evy Solutions

Bei GLA-WEL in Melle ist die KI-Lösung seit Juni 2023 im Einsatz (Foto: GLA-WEL)

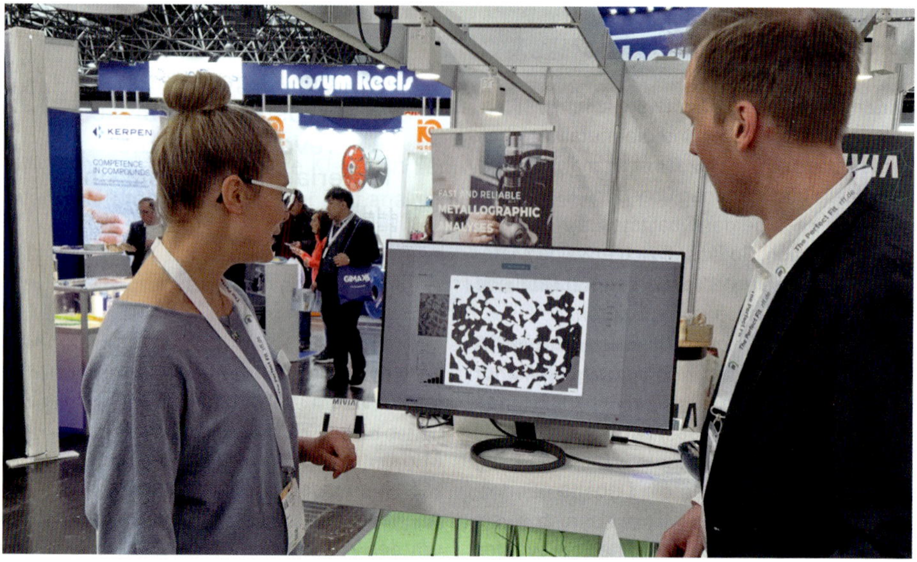

MIVIA-Geschäftsführerin Miriam Corcoran (links) demonstriert STAHL+TECHNIK Redakteur Lucas Möllers die Webapplikation während der Fachmesse wire (Bild: DVS Media)

erkennt selbst kleinste Risse und vermisst die Risslänge sowie -tiefe vollkommen autonom.

Mit der **Restaustenitbestimmung** wird der Anteil von Restaustenit in Stahlproben analysiert. Eine genaue Bestimmung dieses Anteils ist für die Optimierung der Wärmebehandlungsprozesse und die Verbesserung der Materialleistung unerlässlich und MIVIA bietet eine schnelle und zuverlässige Lösung für Forschung und Industrie.

Die **Ferritbestimmung** liefert detaillierte Informationen über den Ferritgehalt und dessen Verteilung in einer Probe. Mit diesem Modul können Anwender die Wärmebehandlungsprozesse optimieren und ihre Produktqualität sicherstellen.

Wie sehen Sie den Markteinstieg und die Zukunftsaussichten?

Miriam Corcoran. Die Entwicklung von MIVIA markiert einen Wendepunkt in der Materialcharakterisierung, der die Effizienz steigert, Kosten senkt und die Qualität in der Stahl- und metallverarbeitenden Industrie auf ein neues Niveau hebt. Namhafte Stahlkonzerne und Automobilhersteller zählen bereits zu den Kunden von MIVIA. Wir streben danach, in den kommenden Jahren zum führenden Anbieter in der KI-gestützten Mikrostrukturanalyse zu werden, getrieben durch die signifikante Erleichterung und Verbesserung, die das System bietet. Die Software wird zukünftig auch für weitere Werkstoffe verfügbar sein, da die Datenbank problemlos erweiterbar ist.

Vielen Dank für das Interview.

MIVIA GmbH, Freiberg (Sachsen)

DIGITALISIERUNG WIRD ZUR PFLICHT

Innovative Messtechnologie und Automatisierungslösungen für die Dekarbonisierung

Bei der Dekarbonisierung spielen das transparente Erfassen von eingefangenem CO_2, sowie das direkte und indirekte Reduzieren und Vermeiden von CO_2 durch Optimierung der Messtechnik eine wesentliche Rolle.

Grundlage für die Dekarbonisierung legt die Digitalisierung: ohne valide Daten können viele Anwendungen im Bereich Dekarbonisierung nicht nachhaltig eingesetzt und überwacht werden. Alles beginnt mit einem Digitalen Zwilling, über den die Parametrierung von Sensoren einfach realisiert werden kann.

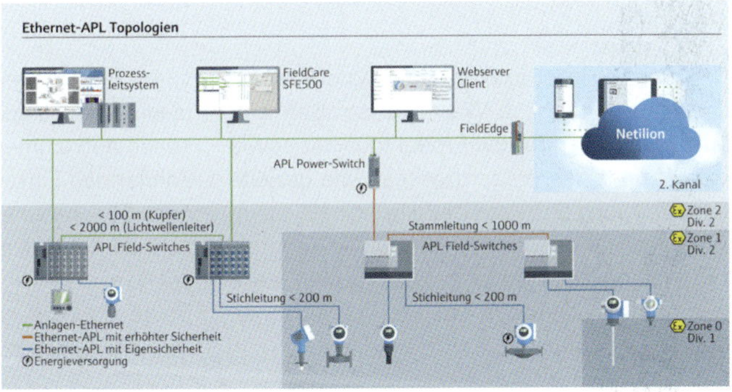

Ethernet-APL Topologie (Bild: Endress+Hauser)

Digitalisierung bedeutet Vernetzung – von Standorten und von Geräten. Der Einsatz von Ethernet-APL reduziert die Komponenten und die Direktverdrahtung zwischen Feldkomponenten und den Ports in den Switches. Dadurch profitieren Anwender von einem enormen Geschwindigkeitszuwachs der Gerätekommunikation auf bis zu 10 Mbit/s. Darüber hinaus vereinfacht eine durchgängige Ethernet-APL Vernetzung der gesamten Anlage den Zugang zu den Komponenten.

Netilion: cloudbasiertes IIoT-Ökosystem für Industrieprozesse

Mit Netilion bietet Endress+Hauser ein cloudbasiertes IIoT-Ökosystem an, das herstellerübergreifend, mit höchsten Sicherheitsstandards und ganz unkompliziert funktioniert. Netilion Library, Netilion Analytics und Netilion Connect ermöglichen ein durchgängiges Asset Management, das die Identifikation von Feldgeräten erleichtert und die Speicherung sowie die Pflege von Informationen unterstützt. Das spart Zeit, verbessert die Abläufe und spart Ressourcen ein.

Die regelmäßige Kalibrierung von Geräten und deren Dokumentation wird immer wichtiger, so dass ein kollaboratives Kalibriermanagement in Verbindung mit Netilion Library einen großen Vorteil bieten kann. Unterschiedliche Parteien (Lieferanten, Servicepartner) können an den gleichen Assets arbeiten, Kalibrierzertifikate können digital abgelegt werden und sind immer und von überall zugreifbar.

Endress+Hauser

QUALITÄTSSICHERUNG BEIM WARMBAND

Wartungsarmes Messsystem ermöglicht Verbesserung der Breiten-Performance

Eine Radar-Breitenmessung am Vorwalzgerüst führt zu einem stabilerem Walzprozess trotz rauer Umgebungsbedingung mit hohem Aufkommen an Spritzwasser, Dampf und Zunder

Die möglichst exakte Regelung der Messgutbreite ist in Warmwalzstraßen entscheidend für die Produktqualität sowie die Effizienz des Walzprozesses. Eine gezielte Beeinflussung der Materialbreite ist im Wesentlichen nur im Vorgerüst möglich. Die Kenntnis der exakten Messgröße an dieser frühen Stelle im Produktionsprozess ist somit von entscheidender Bedeutung.

Im Bereich des Vorgerüsts erschweren die rauen Umgebungsbedingungen mit dem typisch hohen Aufkommen an Spritzwasser, Dampf und Zunder den Einsatz von optischen Messsystemen. Für optische Messverfahren sind komplexe Kühl- und Absaugvorrichtungen notwendig sowie ein intensiver Wartungsaufwand, um die Breite durch die Kamerasicht sicher messen zu können. Faktoren, die das Verfahren im Betrieb

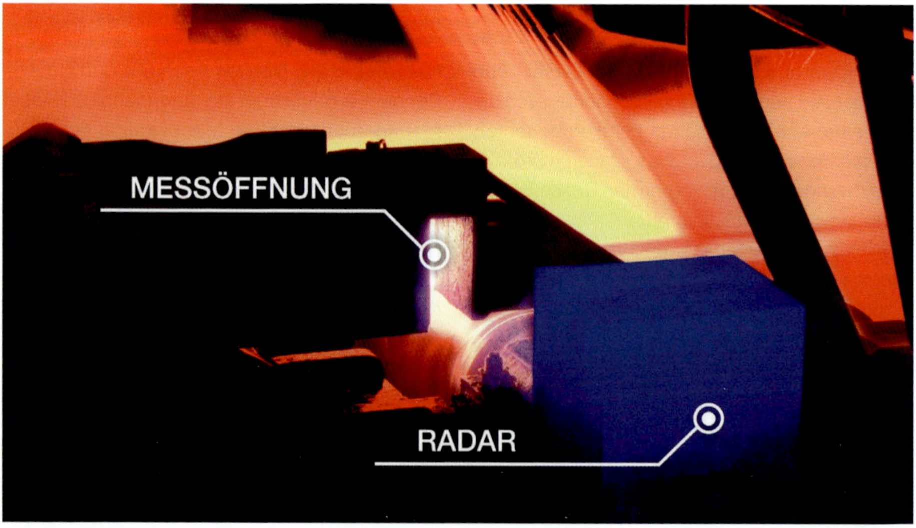

Radar-Breitenmesssystem am Vorgerüst der Warmbandstraße (Bild: Salzgitter Flachstahl GmbH)

und bei der Instandhaltung kostenintensiv werden lassen. Eine technisch und wirtschaftlich attraktive Alternative bietet hier der Einsatz eines radarbasierten Messverfahrens.

Bereits vor einigen Jahren entwickelte die IMS Messsysteme GmbH in Kooperation mit dem Fraunhofer FHR und der Salzgitter Flachstahl GmbH (SZFG) ein auf Radartechnik basierendes Messsystem, das erstmals eine stabile und präzise Messung der Breite am Vorgerüst ermöglichte. Die finale Installation des Radar-Breitenmesssystems erfolgte bei der Salzgitter Flachstahl GmbH zwischen der Stauchpresse und der Vorstraße, unmittelbar vor dem Stauchgerüst. Diese Positionierung ermöglichte eine vollständige Vermessung der Breite über die gesamte Brammenlänge vor jedem Stauchstich. Nachdem die SMS group GmbH die Radar-Breitenmessung in das Automatisierungssystem integriert hatte, verdeutlichten die den im Echtbetrieb ermittelten Messergebnissen schließlich eindrücklich, welch hohes Potential das Radar-Breitenmesssystem für eine Optimierung der Breiten-Performance bietet.

Zuverlässige Breitenmessung ermöglicht stabileren Walzprozess

Der Einsatz der auf Radartechnik basierenden Breitenmessung bot gleich für mehrere Problemstellungen eine sichere Lösung, die zu einer deutlichen Verbesserung der Vorband- und damit auch der Fertigbandbreite beitrugen:

- Ein Breitenfehler der Stauchpresse, verursacht durch einen mechanischen Schaden, konnte zunächst mit Hilfe der Radar-Breitenmessung detektiert werden.
- Der nach der Reparatur der Stauchpresse verbliebene Breitenfehler wurde schließlich durch die Implementierung eines Adaptionsmodells korrigiert, welches als Eingangsgröße unter anderem die Daten der Radar-Breitenmessung verwendete.
- Mit Hilfe der durchgeführten Maßnahmen konnte der Setzfehler der Stauchpresse signifikant reduziert werden, so dass nun konstante Eingangsbedingungen für den Walzprozess in der Vorstraße galten.

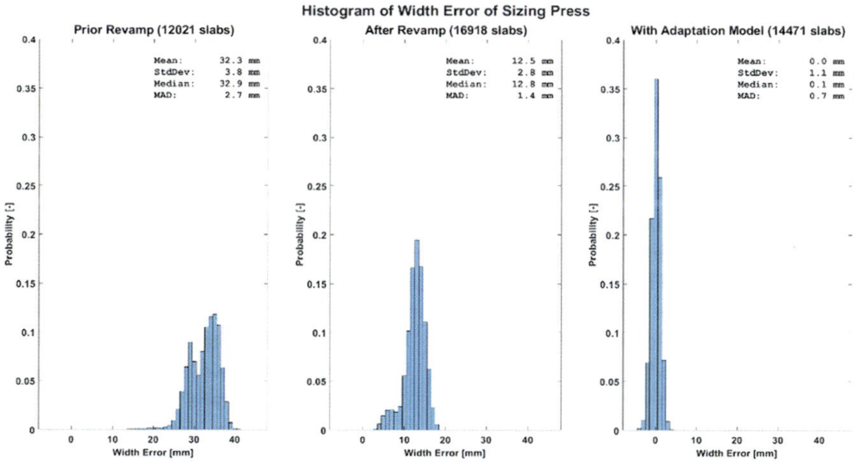

Histogramm des Breitenfehlers der Stauchpresse vor der Reparatur der Stauchpresse (links), nach der Reparatur, aber ohne Adaptionsmodell (Mitte) und mit aktivem Adaptionsmodell (rechts) (Bild: SMS group GmbH)

MESSGENAUIGKEIT VERDOPPELT

Optische Messung der Ölauflage auf Band

Beim System OFM 300 für die Inline-Messung der Ölauflage vereinfacht ein neues Optikkonzept den Validierungsprozesses und reduziert die Wartungskosten. Ebenso wie beim Handmesssystem OFIS 3.0 ist die Messgenauigkeit jetzt deutlich höher.

Mit den optischen Messsystemen des Herstellers Amepa lässt sich die Ölauflage auf Bändern aus Stahl (oder Aluminium) bestimmen, beispielsweise in Kaltwalzwerken vor dem Versand zum Kunden oder bei der Weiterverarbeitung in den Presswerken der Automobilindustrie. Wenn die Messung Abweichungen von der Soll-Beölung erkennt, zum Beispiel eine zu dünne oder gar fehlende Ölschicht, kann der betroffene Bandabschnitt nachbeölt oder eine Überprüfung der Ölmaschine eingeleitet werden. In Kombination mit dem ebenfalls von Amepa produzierten Rauheitsmesssystem ist es möglich, in Pressenlinien – beispielsweise am Einlauf von Laser-Blanking-Lines – gezielt auf Veränderungen der Eigenschaften des einlaufenden Bandes zu reagieren und den Umformvorgang optimal zu steuern.

Amepa hat sowohl das Inline-Messsystem OFM als auch das Handmessgerät OFIS grund-

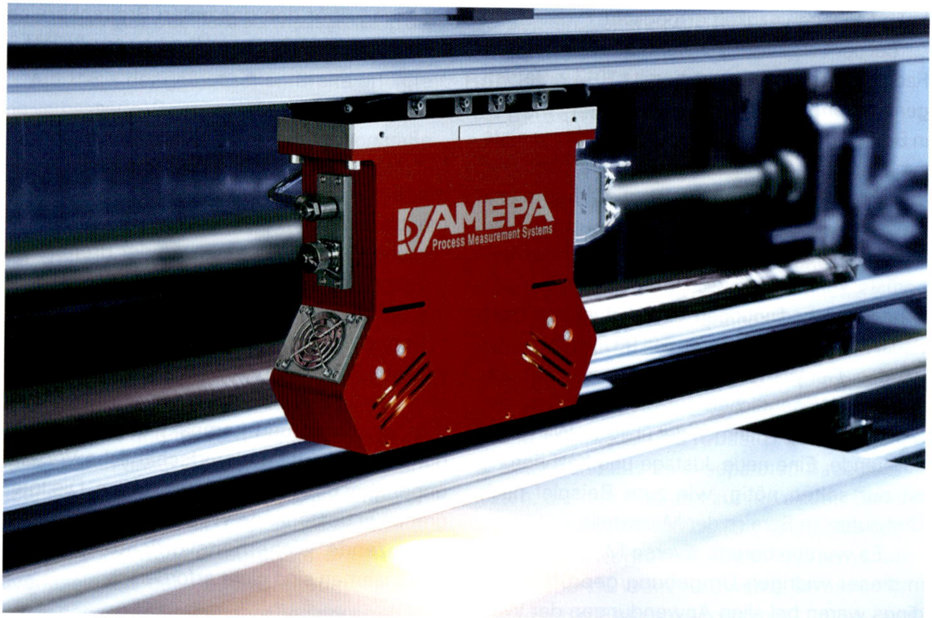

Der Inline Sensor OFM 300 wird über die gesamte Breite des Bandes traversiert (Foto: Amepa)

legend überarbeitet. Das zentrale Element ist eine neue Optikeinheit, die die Messgenauigkeit in Kombination mit einem verfeinerten Algorithmus und verbesserter Kalibrierung um den Faktor 2 steigert. Die Messgenauigkeit liegt bei einer Ölauflage von bis zu 1 g/m^2 jetzt bei ± 0,05 g/m^2 und bei einer größeren bei ± 5 % des gemessenen Wertes.

Jens Harre, Ansprechpartner bei Amepa für die neue Geräteserie, erläutert den Nutzen für seine Kunden: „Wir haben den Aufbau der Systeme grundsätzlichen neu strukturiert. Neben der erhöhten Messgenauigkeit haben wir den Validierungsprozess sehr vereinfacht: Alle Sensoren des OFM 300 sind in Bezug auf ihre Parametrierung identisch und können ohne erneute Einstellung vor Ort getauscht werden. Das reduziert den Aufwand für Schulung und Wartung deutlich. Für unsere Kunden bedeutet das: höhere Prozesssicherheit bei geringeren Kosten.“

Die neue Konstruktion des Sensors beschleunigt außerdem den Tausch von Verschleißteilen wie Leuchtmitteln oder Lüftern.

Amepa hat weltweit bisher mehr als 480 Inline-Messsysteme ausgeliefert. Außerdem sind mehr als 300 OFIS Handmesssensoren bei Anwendern in aller Welt im Einsatz.

❙ *Amepa GmbH*

Beim Handmessgerät OFIS 3.0 kann dank neuer Validierronden ein Abgleich ohne zusätzliche Parametrierung erfolgen (Foto: Amepa)

DIREKTREDUKTION MIT WASSERSTOFF

Eisenschwamm aus dem Drehrohrofen

Das Start-up-Unternehmen CO2GRAB/Hylron hat Anfang August in Lingen (Emsland) eine Direktreduktions-Pilotanlage feierlich in Betrieb genommen. Die Anlage wurde auf dem Gelände des RWE Gaskraftwerks Emsland errichtet und soll dazu dienen, das Verfahren zur Herstellung von direktreduziertem Eisen in einem eigens entwickelten gasdichten Drehrohrofen mit Wasserstoff als Reduktionsgas weiterentwickeln.

Klimafreundlich produzierter Eisenschwamm aus dem Drehrohrofen
(Foto: Hylron/Georg Schreiber)

Im Rahmen eines Forschungsprojekts haben die Projektpartner RWE, CO_2GRAB/Hylron, LSF und Benteler Steel/Tube eine Pilotanlage zur wasserstoffbasierten Direktreduktion von Eisenerz in Lingen errichtet und in Betrieb genommen. Das Forschungsprojekt wird durch das Ministerium für Umwelt, Energie und Klimaschutz des Landes Niedersachsen durch eine Förderzusage in Höhe von über drei Millionen Euro unterstützt.

„Die Inbetriebnahme der Pilotproduktion am Standort Lingen ist für uns ein wesentlicher Meilenstein, um das Produkt „grünes Eisen" zur Marktreife zu führen", sagt Dr. Stephan Köhne, geschäftsführender Gesellschafter der Hylron. In der Pilotanlage in Lingen wird Eisenerz aus Namibia verarbeitet, um den Prozess und das Produkt zu optimieren.

Der im Emsland produzierte Eisenschwamm soll im örtlichen Elektrostahlwerk von Benteler eingeschmolzen und zu Stahl für Rohre weiterverarbeitet werden. „In Namibia bauen wir mit Unterstützung des Bundesministeriums für Wirtschaft und Klimaschutz derzeit eine Produktion im industriellen Maßstab auf", ergänzt Köhne.

Die Standortentscheidung für Lingen ist aufgrund mehrerer Wasserstoffvorhaben in der Region allgemein und speziell am RWE Gaskraftwerksstandort Emsland getroffen worden. Der grüne Wasserstoff für Hylron wird zukünftig in der 14-Megawatt-Pilot-Elektrolyse von RWE erzeugt, die voraussichtlich Ende 2023 direkt neben der Direktreduktions-Pilotanlage ihren Betrieb aufnehmen wird. Das Niedersächsische Ministerium für Umwelt, Energie und Klimaschutz fördert den Bau der Pilotelektrolyse mit weiteren acht Millionen Euro.

Die Hylron ist ein Firmenverbund der TS-Gruppe aus dem Raum Aachen und der LSF Energy aus Paderborn. Die TS-Gruppe ist Pio-

Drehrohrofen der Pilotanlage (Foto: Hylron/Georg Schreiber)

Die Direktreduktions-Pilotanlage ist für 1000 kg Eisenschwamm pro Stunde ausgelegt (Foto: Hylron/Georg Schreiber)

nier bei technischen Lösungen im Bereich Brennstoffzellen, Batterien und Industrieöfen. LSF verfügt über langjährige Erfahrungen in der Erzeugung erneuerbarer Energien und wird die Betriebsweise der Elektrolyse für die fluktuierende Produktion von Wind- und Solarstrom optimieren. Zusammen haben Hylron und LSF vor einigen Jahren die CO2GRAB ins Leben gerufen mit dem Ziel, effiziente Technologien zur Vermeidung von CO_2-Emissionen zu entwickeln und zu vermarkten. Weitere Projektpartner sind RWE und Benteler Steel/Tube.

Benteler Steel/Tube und Hylron

DIGITALER ZWILLING

KI optimiert Wärmemanagement von Torpedopfannenwagen

In der Stahlerzeugung spielt das Wärmemanagement von Torpedopfannenwagen – für den Transport von Flüssigeisen vom Hochofen zum Stahlwerk – eine wichtige Rolle. In diesem Beitrag wird daher ein System künstlicher Intelligenz vorgestellt, das in der Entscheidungsfindung bei der Auswahl des energetisch günstigsten Torpedowagens unterstützt.

Die digitale Transformation in der Stahlindustrie hat das Potenzial, Kosten zu senken, Gewinnmargen zu verbessern und nachhaltigere Prozesse zu schaffen. Fortgeschrittene Analytik, maschinelles Lernen, künstliche Intelligenz (KI), Cloud-Lösungen und digitale Zwillinge (DZ) sind einige der Technologien, die im Rahmen der laufenden digitalen Transformation zum Einsatz kommen. Vor allem die Anwendung der entsprechenden Technologien auf die Produktionsprozesse ermöglicht es der Branche, umweltfreundlicher zu werden.

In diesem Zusammenhang hat die Flüssigeisenroute erhebliche Auswirkungen auf diese Herausforderung. Die Torpedowagen transportieren Flüssigeisen vom Hochofen ins Stahl-

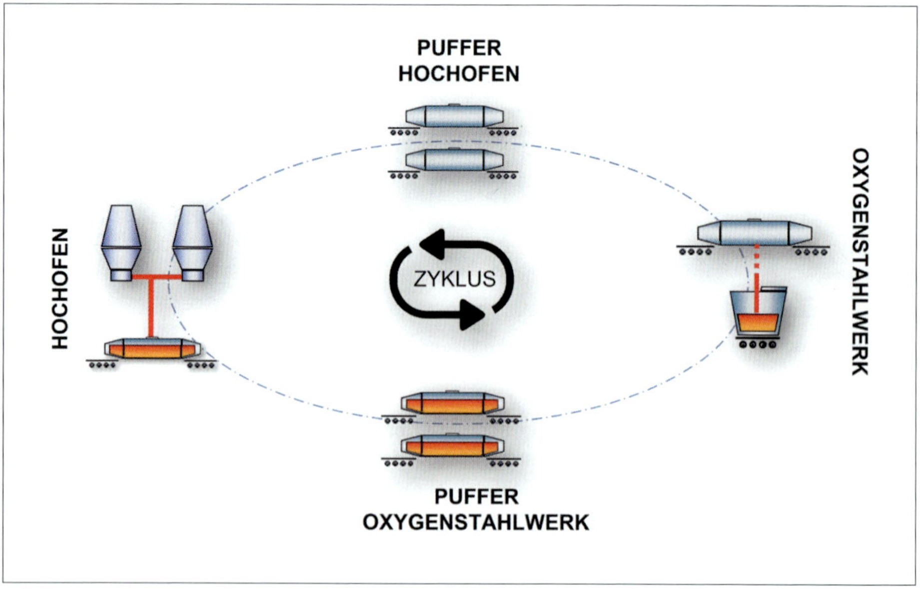

Bild 1. Betrieb und Zyklus der Torpedowagen vom Hochofen zum Oxygenstahlwerk (Bild: Tata Steel)

werk. Die Temperatur des Flüssigeisens wirkt sich auf den Stahlwerksprozess aus, da bei einer zu niedrigen Temperatur ein Wiedererwärmungsschritt eingeleitet oder die Menge an Schrott im Konverter verringert werden kann. Daher ist das Wärmemanagement von Torpedowagen für die Transformation hin zu grünem Stahl von entscheidender Bedeutung [1].

Dieses komplexe und mehrdeutige Verfahren mit vielen Variablen erfordert eine multidisziplinäre Lösung [2]. Es wird ein System auf Basis künstlicher Intelligenz entwickelt, das die Echtzeit-Entscheidungsfindung bei der Auswahl des energetisch günstigsten Torpedowagens unterstützt. Die Anwendung verwendet einen digitalen Zwilling, der auf ordnungsreduzierten Modellen aus komplexen thermischen Finite-Elemente-Simulationen (Finite-Element-Methode, FEM) basiert. Das Alter der feuerfesten Auskleidung, die thermischen Bedingungen und der Standort des Torpedos bestimmen den am besten geeigneten Torpedo für die Befüllung und Entleerung.

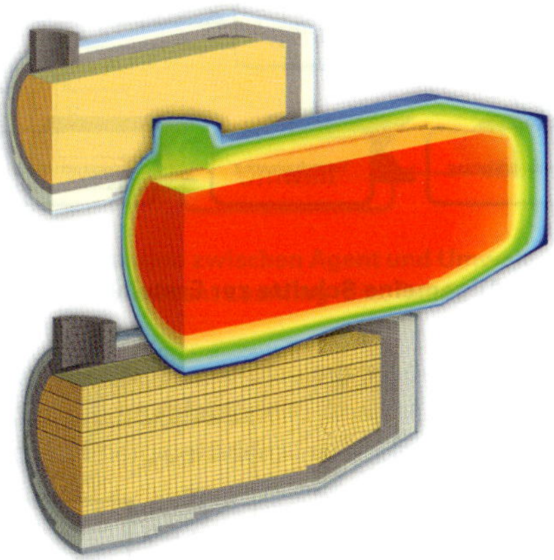

Bild 2. Finite-Elemente-Modell des Torpedowagens (Bild: Tata Steel)

Die Erkenntnisse und Fähigkeiten der KI-Lösung ermöglichen eine Szenarioplanung für eine dynamischere und langfristige Klarheit in der Entscheidungsfindung, welche die kumulierten thermischen Verluste während des

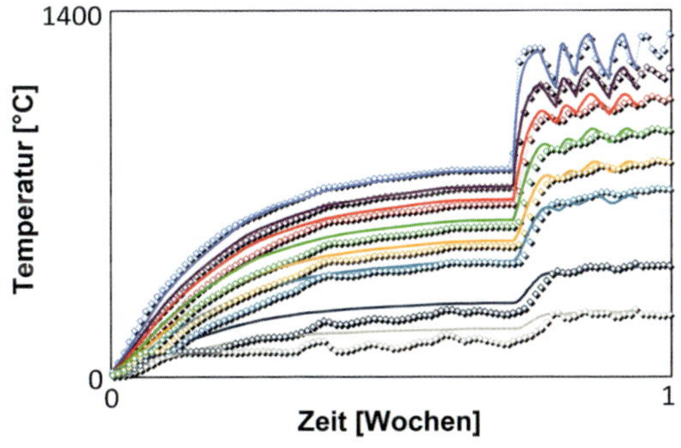

Bild 3. Messungen mit Thermoelementen. Die Rauten sind die gemessenen Temperaturen, die durchgezogenen Linien sind die mit der FEM berechneten Temperaturen (Bild: Tata Steel)

MGG Campos, B. Luchini, P. van Beurden, T. van der Velde, S. Sinnema Tata Steel Nederland, Velsen-Noord, Niederlande; H. Kuiken, Quantillion Technologies, Amsterdam, Niederlande – Kontakt: maria.garcia-campos@tatasteeleurope.com

Algorithmus	Temperaturverlust Flüssigeisen (°C)
FIFO	0
Heuristik	-7

Tabelle 1. Vergleich des mittleren Temperaturverlusts des Flüssigeisens nach einer Woche

Algorithmus	Temperaturverlust Flüssigeisen (°C)
FIFO	0
Heuristik	-9
Zufälliger Agent	-3
RL	-12

Tabelle 2. Vergleich des mittleren Temperaturverlusts des Flüssigeisens nach zwei Tagen

die natürliche Konvektion an der Außenhülle sowie Strahlung und Konvektion an den Innenflächen berücksichtigt. Darüber hinaus wurden temperaturabhängige Materialeigenschaften und das Alter der Torpedos berücksichtigt.

Es wurde eine Messkampagne mit Thermoelementen durchgeführt, um die Temperaturen der feuerfesten Auskleidung des Torpedopfannenwagens zu überwachen und das Finite-Elemente-Modell zu validieren [1]. Die Übereinstimmung zwischen dem FEM-Modell und den Thermoelementen war sehr gut (siehe **Bild 3**). Einer der Hauptnachteile von FEM-Modellen besteht darin, dass sie sehr rechenintensiv sind und viel Zeit in Anspruch nehmen. Aus diesem Grund ist die Verwendung dieser Modelle in Echtzeitanwendungen und im täglichen Betrieb schwierig. In diesem Zusammenhang kann ein ordnungsreduziertes Modell verwendet werden, das im nächsten Abschnitt beschrieben wird.

Ordnungsreduziertes Modell

Ein ordnungsreduziertes Modell ist eine vereinfachte Darstellung eines komplexen Systems, die dessen wesentliche Dynamik erfasst und gleichzeitig die Berechnungskomplexität reduziert [4]. Die Erstellung eines ordnungsreduzierten Modells umfasst die folgenden grundsätzlichen Schritte (**Bild 4**). Der erste Schritt besteht darin, das zu lösende Problem zu definieren und die wesentlichen Variablen, Parameter und Gleichungen des Systems zu bestimmen. In diesem Fall sind die Ausgangsparameter des Problems die Feuerfesttemperatur und die Temperatur des Flüssigeisens.

Um ein ordnungsreduziertes Modell zu entwickeln, benötigt man entweder experimentelle Daten oder ein hochgenaues numerisches Modell des Systems. Nichtsdestotrotz ist eine Versuchsplanung unerlässlich, um den Trainingsdatensatz zu definieren und die Genauigkeit des Modells zu optimieren. Das im vorigen Abschnitt beschriebene Finite-Elemente-Modell des Torpedos wurde verwendet, um die Daten zu generieren. Die Theorie der Singulärwertzerlegung wird verwendet, um das ordnungsreduzierte Modell selbst zu entwickeln und der Datensatz wird in Training sowie Validierung aufgeteilt [5, 6]. Die Erstellung genauer ordnungsreduzierter Modelle kann eine komplexe Aufgabe sein. Es kann notwendig sein, die oben genannten Schritte zu wiederholen und dabei verschiedene Parameter und Modellformen zu berücksichtigen oder die für das Training verwendeten Daten zu verfeinern.

Der digitale Zwilling wurde erstellt und kann eingesetzt werden. Es war auch notwendig, die Genauigkeit des digitalen Zwillings zu bewerten, indem seine Vorhersagen mit unabhängigen Simulationen verglichen wurden (**Bild 5** und **Bild 6**).

Der digitale Zwilling zeigte eine hohe Übereinstimmung mit der FEM-Modellierung. Die

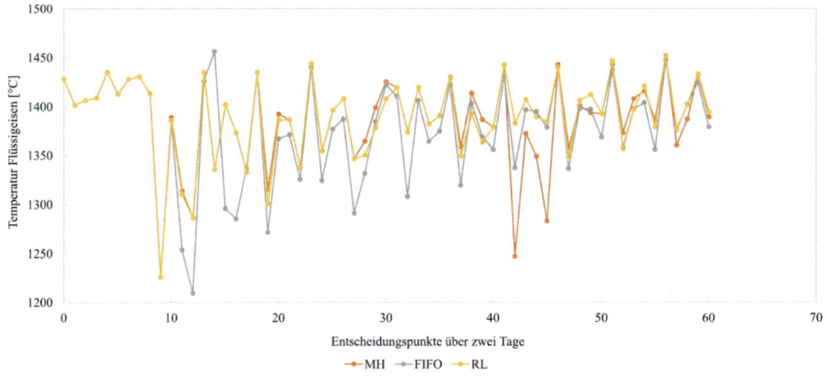

Bild 9. Temperatur des Flüssigeisens für RL, Heuristik und FIFO über zwei Tage (Bild: Tata Steel)

Genauigkeit des digitalen Zwillings betrug im Vergleich zu den FEM-Ergebnissen 99 %, sowohl für die Feuerfesttemperatur als auch für die des Flüssigeisens. Daher ist es möglich, den digitalen Zwilling während der Produktion einzusetzen und einen thermischen Zustand für jeden Torpedowagen zu haben, der in Betrieb ist.

Durch die Verknüpfung des digitalen Zwillings mit Algorithmen künstlicher Intelligenz ist es möglich, die Entscheidungsfindung für das Torpedomanagement und die Torpedoauswahl zu optimieren.

Künstliche Intelligenz

Systeme künstlicher Intelligenz können sehr effektiv dabei sein multifaktorielle Probleme zu lösen, da sie in der Lage sind große Datenmengen zu verarbeiten, komplexe Muster zu analysieren und optimierte Entscheidungen zu treffen. KI-Algorithmen können verschiedene Faktoren, Einschränkungen und Ziele im Zusammenhang mit der Planung analysieren, z. B. die Anzahl der Torpedos in der Flotte, die Produktivität, die Temperatur des feuerfesten Materials, die Leerzeit und die Volllastzeit. Durch die Formulierung der Planung als Optimierungsproblem kann das KI-System Temperaturverluste des Flüssigeisens und CO_2-Emissionen reduzieren.

Es gibt mehrere Arten von KI und optimierten Algorithmen. Maßgeschneiderte heuristische Algorithmen und Reinforcement Learning (RL) sind zwei Ansätze zur Lösung von Problemen, einschließlich Planungsfragen.

Heuristische Algorithmen werden auf der Grundlage bereichsspezifischen Wissens und Problemverständnis entwickelt. Sie stützen sich auf vordefinierte Regeln, Heuristiken oder Algorithmen, die von menschlichen Experten entwickelt wurden. Diese Algorithmen nutzen oft spezifische Problemeigenschaften, um schnell gute Lösungen zu finden. Im Gegensatz dazu stützen sich RL-Ansätze nicht auf vordefinierte Regeln oder problemspezifisches Wissen. Stattdessen lernen sie optimale Strategien durch Interaktion mit ihrer Umgebung. RL-Algorithmen können sich an verschiedene Problemdomänen anpassen, ohne dass explizit menschliche Fachkenntnisse erforderlich sind.

Heuristische Algorithmen erfordern im Allgemeinen eine manuelle Entwicklung und Verfeinerung durch Experten. Sie können sich gut an veränderte Umgebungen oder neue Problemfälle mit zusätzlichen Änderungen anpassen. Daher können sie nur innerhalb etablierter Heuristiken forschen. Dies schränkt ihre Fähigkeit ein, neue und potenziell bessere Lösungen zu finden.

RL-Algorithmen lernen durch Versuch und Irrtum. Sie verbessern ihre Leistung im Laufe der Zeit kontinuierlich. Sie können sich an neue Situationen anpassen und mit veränderten Umgebungen umgehen. RL-Modelle werden mithilfe von Bestärkungssignalen trainiert, um den Lernprozess zu steuern und die langfristige Leistung zu optimieren (**Bild 7**).

RL-Algorithmen halten von Natur aus ein Gleichgewicht zwischen Erkundung und Ausbeute. Sie erforschen verschiedene Aktionen und Strategien, um optimale Richtlinien zu entdecken, während sie allmählich dazu übergehen, das gelernte Wissen zu nutzen, um die Bestärkungen zu maximieren. RL kann potenziell neue, verbesserte Lösungen finden, die über das hinausgehen, was von Menschen entworfene Heuristiken in Betracht gezogen haben könnten. Die Konvergenz zu optimalen Richtlinien kann jedoch Zeit in Anspruch nehmen und je nach Komplexität des Problems und Trainingsprozess können unerwartete Aktionen auftreten.

Beide Algorithmen wurden verwendet, um die Temperaturverluste des Flüssigeisens durch Optimierung des Wärmemanagements der Torpedowagen zu vergleichen.

Ergebnisse

Die geschätzte Leistung der Algorithmen wurde durch die Berechnung des Temperaturverlusts des Flüssigeisens auf der Grundlage von Durchschnittswerten (Mittelwerten) bestimmt. Der Temperaturverlust des Flüssigeisens wird berechnet, indem die durchschnittliche Temperatur des Flüssigeisens, das im Oxygenstahlwerk ankommt, von der Temperatur des Flüssigeisens abgezogen wird, das vom Hochofen in einen Torpedo gelangt.Zunächst wurde der angepasste heuristische Algorithmus mit der FIFO-Methode über einen Zeitraum von einer Woche verglichen (siehe **Bild 8** und **Tabelle 1**).

Das heuristische Verfahren schnitt besser ab als die derzeit genutzte Methode. Sie reduzierte den mittleren Temperaturverlust des Flüssigeisens um 7 °C.

Das RL wurde nur über zwei Tage modelliert, da es aufgrund seiner Komplexität eine lange Berechnungszeit benötigt. Die Ergebnisse für die Flüssigeisen-Temperaturen von RL, FIFO und Heuristik sind in **Bild 9** und **Tabelle 2** dargestellt. Zusätzlich wurde ein zufälliger Agent als Basiswert für den Vergleich mit den anderen Algorithmen einbezogen. Der zufällige Agent erleichtert es zu sehen, ob das RL einfach ein unerwartetes oder optimales Verhalten aufweist. Die Ergebnisse zeigen das Potenzial der Nutzung des RL-Algorithmus zur Optimierung des Wärmemanagements der Torpedos, zur Minimierung der Temperaturverluste des Flüssigeisens und zur Maximierung der Produktionskontrolle.

Schlussfolgerungen

Zusammenfassend lässt sich sagen: Beide Algorithmen zeigten das erhebliche Potenzial der Lösung zur Verringerung der kumulierten Wärmeverluste während des Betriebs der Torpedowagen und zur Reduzierung der CO_2-Emissionen auf. Der maßgeschneiderte, heuristische Algorithmus reduzierte den Temperaturverlust des Flüssigeisens über eine Woche um 7 °C. Andererseits reduzierte das Reinforcement Learning den Temperaturverlust über zwei Tage um 12 °C. Es ist jedoch nötig, den Reinforcement Learning-Algorithmus zu optimieren, um lange Zeiträume zu modellieren.

Zusätzlich kann die Methodik auf andere Anlagen ausgeweitet werden, z. B. auf Flüssigeisen- und Stahlpfannen. Sie wird dazu beitragen, bestehende und künftige Herausforderungen im Logistikmanagement zu lösen, die Prozesssteuerung und die Lebensdauer der Feuerfestmaterialien zu verbessern und CO_2-Emissionen zu verringern.

Tata Steel Nederland

Literatur

[1] Van Beurden P, Liefhebber J, Sentveld P, Kerkhoven F. On the Thermal Management of Torpedo Ladle Car Logistics of Tata Steel in IJmuiden. Proc. UNITECR 2019, 2019, pp.365-368.

[2] Goldwaser A, Schutt A. Optimal torpedo scheduling. Journal of Artificial Intelligence Research 63, 2018, S.955-986.

[3] Luchini B, Campos MGG, Van Beurden B, Sinnema S. AISTech 2023 - Proceedings of the Iron & Steel Technology Conference, 2023, Detroit, Mich., USA.

[4] Hurkamp A et al., Simulation-based digital twin for the manufacturing of thermoplastic composite. Procedia CIRP 100, 2021, S.1-6.

[5] Calka M et al., Machine-learning based model order reduction of a biomechanical model of a human tongue, Computer Methods and Programs in Biomedicine 198, 2021, 105786.

[6] Hu et al., A transient reduced order model for battery thermal management based on singular value decomposition, IEEE Energy Conversion Congress and Exposition, 2014.

STAHLHANDEL IN EUROPA

Stahleinkäufer gründen europäisches Netzwerk

Unter dem Namen astedis (association of steel distributors) arbeiten seit dem 1. September 2023 fünf Stahl-einkaufsgruppierungen in einem europäisch agierenden Netzwerk zusammen. Bei einem Treffen Ende August in Paris haben die national eigenständigen und erfolgreichen Einkaufsorganisationen den gemeinsamen Kooperationsvertrag unterschrieben.

Zu den Gründungspartnern der astedis zählen die Stahleinkaufsunternehmen Coalsider aus Spanien, die Einkaufsgruppe European Steel Group in Polen, der deutsche Einkaufsverbund Nordwest, Sider Center aus Italien und Socoda aus Frankreich.

Bei dem Pariser Treffen besiegelten die fünf national eigenständigen Einkaufsorganisationen ihre neue Kooperation vertraglich. Ziel des kooperativen Netzwerkes ist es, die Vertriebsreferenz für die wichtigsten europäischen Produzenten zu sein und strategische Arbeitsbeziehungen mit allen wichtigen europäischen Herstellern aufzubauen. Die mittelständischen Stahldistributionsgesellschaften werden sich regelmäßig austauschen, um die bisherigen Lieferverbindungen in der europäischen Stahlindustrie noch weiter zu stärken.

„Die Idee des kooperativen Netzwerkes ist vor rund zwei Jahren auf eine gegenseitige vertrauensvolle Basis gestoßen und hat sich über den Zeitraum zielführend entwickelt", erläutern Claudio Kemper und Christopher Rüther, beide Geschäftsbereichsleiter Stahl der Nordwest Handel AG, den Gründungsgedanken.

Gemeinsame ethische Werte

„Das Vertrauen untereinander ist von Anfang an groß gewesen. Die Begeisterung eine europäische Netzwerkorganisation zu schaffen, hat alle in den letzten Monaten angetrieben. Alle Partner sind entsprechend stolz, astedis erfolgreich auf den Weg gebracht zu haben und jetzt für die neue Kooperation zu werben", ergänzt Claudio Kemper. „Der Erfolg der Partner beruht auf den

Die Gründungsmitglieder von astedis bei der Vertragsunterzeichnung. (Foto: Nordwest)

gemeinsamen ethischen Werten, auf die sie sich von Anfang an geeinigt haben. Diese Werte sind für die Aktivitäten aller beteiligten Unternehmen von grundlegender Bedeutung."

Die aktuell fünf Einkaufsgesellschaften verantworten ein Einkaufsvolumen von ca. 3,5 Millionen Tonnen Stahlprodukten. In Summe vertritt das neue Netzwerk über 200 mittelständische Stahlhandelsunternehmen. Wichtig ist es dem neugeschaffenen Netzwerk, dass die Unternehmensgruppen im nationalen Markt weiterhin komplett unabhängig agieren und die jeweiligen Besonderheiten der Märkte gegenseitig vertrauensvoll respektiert werden. Zusätzlich sollen Synergien für die jeweiligen nationalen Märkte geschaffen werden.

„Der private mittelständische Handel hat in den letzten Jahren weiter an Bedeutung gewonnen. Hierfür soll astedis eine europäische Klammer sein. Wir sind davon überzeugt, dass sich durch unser strategisches Netzwerk für alle beteiligten Partner neue Möglichkeiten eröffnen werden", sagt Christopher Rüther weiter.

Netzwerk bringt neue Möglichkeiten

Gemeinsam will sich die Kooperation auch zukünftigen Herausforderungen und Veränderungen des Stahlmarktes stellen, zu denen Themen wie die Digitalisierung, veränderte Beschaffungsmärkte und grüner Stahl zählen. Die Mitglieder sind davon überzeugt, dass die strategische Zusammenarbeit zwischen astedis und den wichtigsten europäischen Herstellern die Stahldistribution in einer Zeit tiefgreifender Veränderungen auf dem Markt weiter stärken und konsolidieren wird.

Nordwest Handel AG

Blick in eine Produktionshalle von Andernach & Bleck (Foto: Andernach & Bleck)

GFS-Glühe

Eine Besonderheit von Andernach & Bleck ist die GFS-Glühe. Mit diesem intern entwickelten Glühverfahren ist es möglich, definierte weichmagnetische Eigenschaften zu erzeugen. Die Koerzitivfeldstärke wird durch thermische Behandlung eingegrenzt. So können mit geringen Stromstärken hohe Magnetfelder erreicht und auch wieder umgekehrt werden.
Eine Eigenschaft, die überall dort wichtig ist, wo mit elektrisch induzierten Magnetfeldern schnelle Schalt- und Regelvorgänge erforderlich sind, zum Beispiel beim ABS oder in Automatikgetrieben. Die GFS-Glühe kann auf verschiedenen Stahlsorten angewendet werden.

wie Kosteneinsparungen und Produktoptimierungen im Vordergrund. Insbesondere Kunden aus der Linear- und Hydraulikindustrie, aber auch aus anderen Branchen, schätzen diese für die Weiterverarbeitung optimierten Halbzeuge.

Aber auch bei Standardprodukten geht das Unternehmen einen Schritt weiter. Auf Wunsch werden auch hier gemeinsam mit dem Kunden das Endprodukt und der Produktionsprozess analysiert und die Anforderungen an den benötigten Blankstahl ermittelt. Nicht immer ist das vom Kunden gewünschte Material das perfekte Produkt für die Anwendung. Auch hier hilft der große Erfahrungsschatz der verantwortlichen

Mitarbeiter, um den Kunden bei der Produktauswahl und -optimierung bestmöglich zu unterstützen.

Auszeichnung EcoZert

Zukunftsfähigkeit ist ein zentraler Bestandteil der Unternehmensphilosophie. Die Strategie ist nicht nur auf kurzfristige Gewinne, sondern auch auf das langfristige Wohl von Gesellschaft, Umwelt und Unternehmen ausgerichtet. Nachhaltiges Handeln trägt dazu bei, die Effizienz zu steigern, Kosten zu senken und die Kundenzufriedenheit zu erhöhen. Darüber hinaus reduziert das Unternehmen mit seiner Nachhaltigkeitsstrategie Risiken und stärkt seine Zukunftsfähigkeit. Für dieses Engagement wurde das Unternehmen Ende letzten Jahres mit dem EcoZert der Creditreform ausgezeichnet. Außerdem setzt das Unternehmen seit dem 1. Januar 2022 konsequent auf grüne Energie bei Strom und Gas, um im Bereich Green Steel aktiv zu werden. Die Einführung einer CO_2 bilanzierten Produktkette und die kontinuierliche Optimierung der Prozesse stehen dabei im Fokus.

Andernach & Bleck GmbH & Co. KG

Zu den Sonderprofilen

DATENTRANSPARENZ IM STAHLHANDEL

„Wir sind Servicepartner in der Stahl-Lieferkette“

Der Stahlhandel bewegt sich, denn die aktuellen Herausforderungen der Branche sind vielfältig. Im Gespräch mit STAHL+TECHNIK erläutert Prof. Dr. Rainer Lindner, Vorsitzender des Vorstands der Heine + Beisswenger Stiftung + Co. KG den Weg des Stahlhändlers. Die digitale Transformation, der Ausgleichsmechanismus CBAM, Investitionen in Anarbeitung und Datenpartnerschaften sind Handlungsfelder, die über den zukünftigen Erfolg entscheiden werden.

Wie muss der mittelständische Stahlhandel heute agieren, um bei der digitalen Transformation am Ball zu bleiben?

Rainer Lindner. Er muss mit seinen Kunden sprechen und deren Erwartungen erkennen. Unser Eindruck ist, dass der Kunde immer mehr Datenkompatibilität einfordert. Das bedeutet mehr Vernetzung, Anschlussfähigkeit und Schnittstellenfähigkeit des Lieferanten zu den Datenströmen des Kunden. So können die Schadstoffbelastungen des Materials, Prüfungszeugnisse, Werkszeugnisse und CO_2-Daten ausgetauscht werden. Diese Informationen erwartet der Kunde nicht mehr auf einem Lieferschein, sondern er fragt diese – einschließlich der ESG-Regulatorien – ab. Das ist einer der wichtigsten Trigger-Punkte, um die digitale Transformation voranzutreiben.

Welche Vorteile erhoffen Sie sich durch die neugeschaffene Position für die digitale Transformation?

RL. Wir haben hier etwas umgebaut. Es gibt einerseits eine Abteilung IT-Infrastruktur. Das betrifft Funktionen für unseren Server, Telefonieanwendungen oder Cybersecurity. Daneben besteht der SAP-Bereich, angehängt an die Logistik. Zusätzlich haben wir eine hauptverantwortliche Rolle für das Datenmanagement geschaffen. Das kann man nicht mehr nebenbei machen; die Lieferantendaten und Kundenanforderungen sind sehr komplex. Im Rahmen dieser Rolle schauen wir uns zum Beispiel das Bestandsmanagement intensiv an. Wir glauben,

Links: Prof. Dr. Rainer Lindner, Vorsitzender des Vorstands der Heine + Beisswenger Stiftung + Co. KG im Gespräch mit unserem Redakteur Lucas Möllers (Bild: Redaktion)

dass die Bedarfe heute schon da sind und noch zunehmen werden. Für ein Unternehmen unserer Größe sind wir damit dem Markt voraus.

Welche flankierenden Maßnahmen haben Sie zusätzlich ergriffen?

RL. Seit 2020 haben wir mit ESteel+ eine Art digitale Agenda und seitdem haben wir bei der Umstellung von analog auf digital viel erreicht – allein, das reicht nicht aus. Im Februar 2024 haben wir aufwendig eine Status-Quo-Analyse von unserem Reifegrad in der digitalen Transformation durchgeführt. Darauf aufbauend wollen wir unsere Themen weiter entwickeln und umsetzen. Die Umstellung wird mindestens zwei Jahre beanspruchen und deshalb brauchen wir neben dem klassischen Budget für IT-Infrastruktur noch ein weiteres Budget für die digitale Transformation. Wir haben mit unserem Aufsichtsgremium die Budgetanforderungen intensiv diskutiert und eine Digitalagenda verabschiedet. So wollen wir den Übergang von der Digitalisierung zur digitalen Transformation schaffen.

Wie bewerten Sie die internationalen Auswirkungen des CO_2-Ausgleichsmechanismus CBAM?

RL. Der CBAM ist Teil des sogenannten Green Deal und auch Teil einer handelspolitischen Agenda der EU-Kommission, die einer chinakritischen Gesamtstrategie folgt. Unsere asiatischen Lieferanten fragen, ob es sich um eine Marktabschottung, also um eine moderne Form des Protektionismus handelt. Diese Frage können wir nicht entkräften. Außerdem hat aus unserer Sicht Brüssel unterschätzt, dass mit dem CBAM eine Art Konjunkturprogramm für die außereuropäische Stahlindustrie geschaffen wird. Dort kennt man jetzt die Anforderungen, die es braucht, um sich selbst zu modernisieren. Womöglich wird eine Lieferfähigkeit schneller erreicht, als uns das recht sein kann, denn unsere Stahlindustrie muss ihrerseits die Transformation meistern. Es wird aber für die Werke in Europa nicht leichter, wenn durch die Preisanpassungen früher als erhofft der Druck auf dem Markt zunimmt. Ich glaube, dass das Konzept nicht ganz zu Ende gedacht wurde. Selbstverständlich hat Heine + Beisswenger längst die notwendigen Schritte gemäß CBAM unternommen.

Was bedeutet CBAM für Sie als in Deutschland angesiedelter Stahlhändler?

RL. Wir erwarten für den Mittelstand hohe Belastungen bei Administration und Kosten. Wir nehmen das sportlich, richten uns danach und sind im Austausch mit unseren Lieferanten. Im Sinne der Endkunden werden wir das CO_2-reduzierte Material beschaffen, das unsere Kunden bevor-

> Aus unserer Sicht hat Brüssel unterschätzt, dass mit dem CBAM eine Art Konjunkturprogramm für die außereuropäische Stahlindustrie geschaffen wird.
>
> *Prof. Dr. Rainer Lindner,*
> *Vorsitzender des Vorstands der Heine + Beisswenger Stiftung + Co. KG*

zugen. Das kann zu Lasten europäischer Hersteller gehen. Am Ende entscheidet der Kunde, welchen Preis er zahlen möchte, und wir können nur hoffen, dass die Preisanpassung in Europa dann wiederum nicht zu Lasten der Hersteller geht.

Wie reagiert der Markt auf Ihre Investitionen in die Anarbeitung?

RL. Wir sind Servicepartner in der Stahl-Lieferkette. Der hohe Automatisierungsgrad in der Anarbeitung wird sehr gut aufgenommen, dort können wir jetzt großvolumige Geschäfte abwickeln. Des Weiteren erhalten wir positive Resonanz auf die Abmessung bis 1.000 Millimeter, die wir nun sägen können. Je stärker wir automatisieren, umso interessanter werden wir für die Kunden. Bei uns kann man den besten Preis mit einem hohen Automatisierungsgrad erzielen. Seitdem wir die beiden automatischen Sägeanlagen in Fellbach betreiben, haben wir einen großvolumigen Sägeauftrag erhalten, den wir genau dort abwickeln werden. Und wir wollen uns als Dienstleister und Servicepartner stärker am Markt anbieten. Dies gilt für großvolumige Sägeaufträge in den dünneren Abmessungen, aber durchaus auch in den vielen Abmessungen, die wir jetzt im Programm haben. Es gilt für die Automatisierung das, was für die digitale Transformation insgesamt gilt. Man muss in diesen Bereichen investieren, um seine Kostensituation anzupassen und zu verbessern. Der Kunde weiß das zu schätzen.

Wie erzielen Sie digitale Transparenz an der Sägeanlage?

RL. Dazu stehen wir im intensiven Austausch mit den Herstellern und mit den Anbietern digitaler Schnittstellen an den Sägeanlagen. Wir wollen nicht nur die Sägezeiten verkürzen und die Kostenseite entwickeln, sondern eben auch Daten

Die neuen Sägeanlagen erlauben die Abwicklung großvolumiger Aufträge (Bild: Heine + Beisswenger)

generieren, etwa in Form von Daten zum Energieverbrauch. Wir können über die Stromkosten die CO_2-Belastung pro Sägeschnitt messen. Es ergeben sich weitere Qualitätsdaten der Sägen, etwa zu Schnittzeiten und Laufeigenschaften.

Wie schätzen Sie die Bereitsc haft zum Teilen von Daten ein?

RL. Es kommt immer häufiger zu Datenpartnerschaften unterschiedlicher Unternehmen in der Wertschöpfungskette. Wir kennen aus der Automobilindustrie das Datenökosystem Catena X. Darin teilen Lieferanten der unterschiedlichen TIER-Stufen ihre Daten. Im Stahl wird die Entwicklung ebenso dahin gehen, da sind die Kundenanforderungen ganz klar. Der Kunde will wissen, ob ein Stahlprodukt in einem sanktionierten Land hergestellt wurde oder welchen CO_2-Footprint das Material hat. Er prüft alle ESG-relevanten Themen in der Herstellungskette und wir müssen diese nachverfolgen können.

Auf welche Plattform setzen Sie konkret?

RL. Integrity Next ist eine neue Plattform, die wir als Modell nutzen. Wenn wir datenfähig sind und dem Kunden diese Informationen bereitstellen können, dann sind wir der bevorzugte Partner. Viele Kunden aus der Automobilindustrie sagen, dass ein Product Carbon Footprint (PCF) ab 2025 obligatorisch sein wird. Wer den nicht ausweisen kann, der wird vermutlich bei der Ausschreibung und bei der Auswahl durch das Raster fallen. Eben weil er nicht datenfähig ist. Das ist schon ein großer Kulturwandel in der Stahlindustrie und in der Wertschöpfung.

Sie haben bereits einige CO_2-Partnerschaften geschlossen. Verfolgen Sie diesen Weg weiter?

RL. Wir sind an weiteren Partnerschaften dran, ja. Wir wollen als Stahlhandelshaus die ganze Bandbreite des Materials – egal aus welchem Werk – anbieten. Ob grau oder grün, der Kunde kann auswählen. Außerdem schauen wir auf außereuropäische Werke, die künftig Interesse an solchen Partnerschaften haben könnten. Weitere Sektoren – jenseits der Automobilindustrie – nehmen wir auch in den Blick. Dort kann man bei erneuerbaren Energien ein Zeichen setzen.

Welche Trends werden in den nächsten fünf Jahren den Stahlhandel beschäftigen?

RL. Schon jetzt werden Qualität, CO_2-Reduktion und digitale Kompetenz gefordert. Damit wollen wir uns vom Markt abheben. Wir werden in wenigen Jahren von Industrie 5.0 sprechen, das heißt Industrie 4.0 plus grün plus KI. Wir werden eine völlig neue Dimension bei Robotik und künstlicher Intelligenz erfahren. Das reicht bis zu einer global gedachten Beschaffungsintelligenz für Stahl. Ob mit oder ohne CBAM – Stahl wird immer seinen Weg zum Kunden finden, wenn der Kunde ihn nachfragt. Deswegen sind wir global aktiv. Gleichzeitig müssen wir die lokale Kundschaft versorgen und technologieoffen sein. Wir wollen alle Technologien, die uns bei der digitalen Transformation unterstützen, nutzen und dafür benötigen wir qualifizierte Mitarbeiter. Heine+Beisswenger hat 2026 sein 125. Jubiläum; wir haben uns vorgenommen, bis 2030 ein Data-Driven Enterprise zu sein. Ziel ist es, 70 Prozent der Kernprozesse datenbasiert zu entscheiden; dieses Ziel werden wir erreichen.

Herr Prof. Lindner, vielen Dank für das Gespräch.

Die neue Robotorsäge im Einsatz
(Bild: Heine + Beisswenger)

DIGITALISIERUNG

Günther + Schramm auf dem Weg zur papierlosen Fertigung

Was in der Fertigungsindustrie längst als Relikt der Vergangenheit gilt, ist im Stahl- und Aluminiumhandel noch immer Standard: der Auftragsausdruck auf Papier. Zeit für einen Paradigmenwechsel; Günther + Schramm begab sich auf den Pfad der Veränderung. Gemeinsam mit dem Softwareentwickler Aureco hat der Systemdienstleister für Stahl, Edelstahl und Aluminium den Maschineneinsatz bei Sägezuschnitten optimiert und gleichzeitig die Aussagekraft gegenüber den Kunden erhöht.

Während die Sägen auf Hochtouren laufen, mahlen die Mühlen an anderer Stelle oft etwas langsamer. So war es bis Ende vergangenen Jahres auch bei Günther + Schramm, Süddeutschlands führendem Systemdienstleister für Stahl, Edelstahl und Aluminium. Bisher wurden die individuellen Kundenaufträge zur Herstellung von Sägezuschnitten von der Arbeitsvorbereitung aus dem ERP-System gezogen, ausgedruckt und an den Sägeplatz gebracht – bei der ausgeprägten Individualität der Aufträge, deren Umfang von einem Stück bis hin zu 5.000 reicht, durchaus ein hoher administrativer Aufwand. Neben dem hohen Papiermüllaufkommen hat diese Vorgehensweise den Nachteil, dass der Auftragsfortschritt nicht immer nachvollziehbar ist.

„In Papierform ist die Auftragsverfolgung nur bedingt möglich. Deshalb konnten wir Kundenanfragen zum Status ihres Auftrags nicht immer aussagekräftig genug beantworten“, sagt Volker Walz, Betriebsleiter bei Günther + Schramm. „Auch Ver-

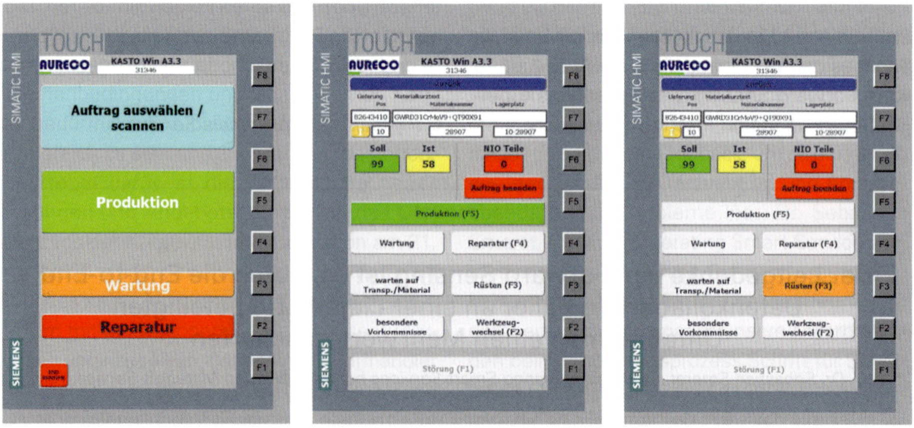

Sägemonitore direkt an den jeweiligen Sägen (Bild: Günther + Schramm)

zögerungen in der Auftragsabwicklung, zum Beispiel durch technische Störungen, konnten wir nicht immer zur Zufriedenheit unserer Kunden und unserem eigenen Serviceanspruch entsprechend kommunizieren. Das wollten wir ändern."

Echtzeit-Transparenz und Effizienz

Für die geplante Prozessoptimierung ließ sich Günther + Schramm von der Fertigungsindustrie inspirieren. „Dort gibt es immer Anzeigegeräte, die den aktuellen Stand der Produktion darstellen", so Walz. „Diese Transparenz wollten wir auch in unsere Prozesse bringen."

Von der Digitalisierung der Auftragsabwicklung versprach sich das Unternehmen, jederzeit sehen zu können, welcher Auftrag gerade an welcher Maschine bearbeitet wird und wie viel Zeit noch bis zur Fertigstellung bleibt. Diese Informationen sollten verständlich aufbereitet und auch für den Betrieb einsehbar sein, um eine Aussage über den aktuellen Stand der Auftragsfertigung treffen zu können. Da diese Art der Automatisierung in der Sägeindustrie noch nicht sehr verbreitet ist, kam für Günther + Schramm ein System von der Stange nicht in Frage. Gesucht wurde eine Software, die sich an die spezifischen Bedürfnisse des Unternehmens anpasst.

Durch Schienen getrennt, im Auftrag vereint

Manchmal liegt die Lösung nur einen Steinwurf entfernt – in diesem Fall im wahrsten Sinne des Wortes. Fündig wurde Günther + Schramm auf

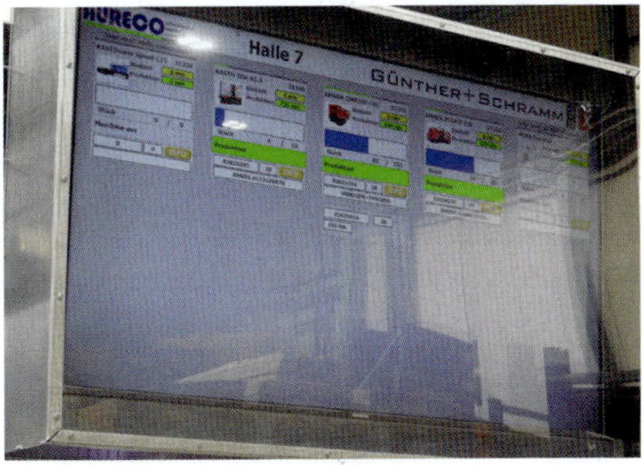

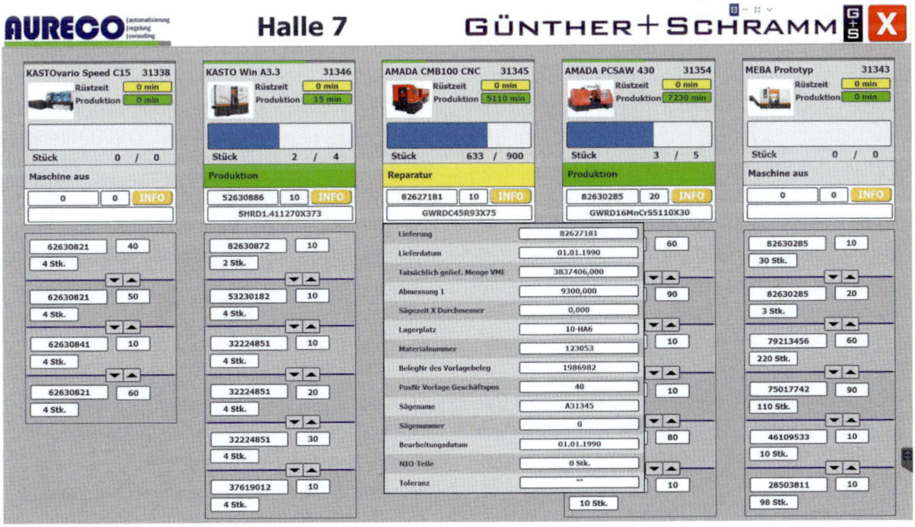

Ein großer Monitor zeigt eine Hallenübersicht (Bild: Günther + Schramm)

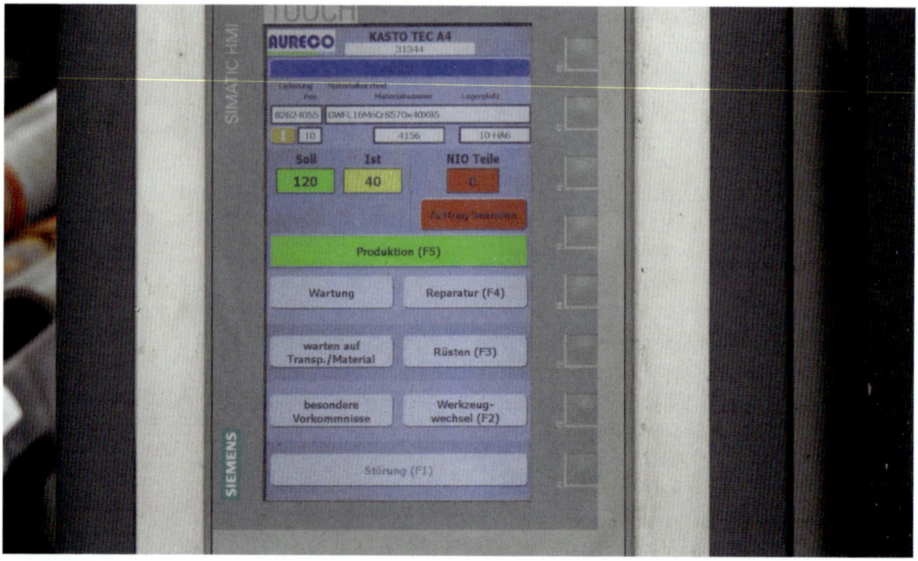

Die Bedienung des Auftragsmonitors ist über ein Touchdisplay direkt an den Sägen möglich
(Bild: Günther + Schramm)

der anderen Seite der Bahngleise bei der Aureco GmbH, die seit über 20 Jahren in der Softwareentwicklung und im Steuerungsbau für Industriekunden tätig ist. Mehr als 600 Anlagen hat das Unternehmen bereits automatisiert und in Betrieb genommen, mehr als 2.200 Beauftragungen realisiert. Von der Konzeption bis zur Inbetriebnahme vor Ort bietet Aureco Lösungen für Automatisierungsaufgaben aus einer Hand.

Für die Softwarelösung mussten sich Aureco und Günther + Schramm einigen Herausforderungen stellen. Zum einen mussten die Maschinendaten von den Herstellern der verschiedenen Maschinen, die bei Günther + Schramm im Einsatz sind, abgefragt werden. Zum anderen stellte die Integration der Software in das interne IT-System einen potentziellen Stolperstein dar. Durch gute Kommunikation und mit Hilfe der eigenen IT-Abteilung von Günther + Schramm, konnten beide Hürden gemeistert werden.

Unter dem Namen „Maschinendatenerfassung" wurde die auf die Bedürfnisse von Günther + Schramm zugeschnittene Softwarelösung von Aureco im Januar in Betrieb genommen. Sie besteht aus einer Schnittstelle zwischen dem ERP-System und den Sägen. Die Sägen sind jeweils mit einer SPS-Steuerung ausgestattet, die Informationen wie Stückzahlen, Störungen und Wartungsarbeiten an die Sägensteuerung melden kann. Die Bedienung des Auftragsmonitors ist über ein Touchdisplay direkt an den Sägen möglich. Zusätzlich ist eine Übersicht über alle Sägen auf einem Großbildschirm in der Halle sichtbar. Die Aufträge werden nun direkt aus dem ERP-System über die Arbeitsvorbereitung an die Sägen gesendet. Anschließend werden sie von der Säge automatisch als erledigt an das ERP-System zurückgemeldet.

„Die Zusammenarbeit mit Aureco ist sehr unkompliziert", sagt Volker Walz. „Wir haben uns bewusst für unsere Nachbarn entschieden, weil wir den freundschaftlichen Umgang und die persönliche Betreuung durch Aureco schätzen. Dass zwischen dem Softwareentwickler und unserer hauseigenen Instandhaltung bereits eine Verbindung bestand, hat die Zusammenarbeit zusätzlich erleichtert."

Erfolgreicher Praxistest

Bisher ist die Maschinendatenerfassung nur in einer Halle in Königsbronn im Einsatz. Seit Anfang des Jahres wird sie dort auf Herz und Nieren getestet, um bei erfolgreicher Implementierung auf die anderen Hallen und gegebenenfalls Standorte ausgeweitet zu werden. Das erste Fazit: Die Software funktioniert gut, was sich auch in den Arbeitsabläufen widerspiegelt. Dank eines gründlichen Onboardings standen die Mitarbeiterinnen und Mitarbeiter dem neuen System von Anfang an aufgeschlossen gegenüber. Bei etwaigen technischen Schwierigkeiten oder Fehlern steht Aureco remote oder vor Ort zur Verfügung. Jonas Loder, Automation Engineer bei Aureco, wertet den guten Start als Bestätigung für eine gelungene Softwarelösung: „Der Erfolg des Projekts wird durch die Mitarbeiterinnen und Mitarbeiter bestimmt, die damit arbeiten. Wenn diese zufrieden sind, dann weiß man, dass man gute Arbeit geleistet hat."

Durch die Automatisierung der Prozesse soll zukünftig auf Papier verzichtet werden. Dies ermöglicht eine wesentlich nachhaltigere Arbeitsweise. Zudem sind die Daten im System rückverfolgbar, was die Prozesse reproduzierbar macht. Da die Aufträge direkt an der Säge oder im System priorisiert werden können, profitiert die gesamte Produktion von einer höheren Flexibilität. Die Prozessoptimierung zeigt sich auch in den reduzierten Stillstands- und Wartungszeiten der Maschinen. Ebenso reduziert sich die Vorbereitungszeit, da aufgrund der Nachvollziehbarkeit des Prozessfortschritts neues Material vorausschauend aus dem Lager entnommen und die Sägen effizient bestückt werden können. Ein weiterer großer Vorteil ist die deutlich verringerte Fehleranfälligkeit. Aufträge können zwar mehrfach ausgedruckt werden, die Software lässt aber keine doppelte Zuordnung zu.

„Insgesamt haben wir durch die Maschinendatenerfassung unsere Prozesse optimiert", sagt Volker Walz. „Die Daten werden in der Software von Aureco so übersichtlich dargestellt, dass man sich schnell und einfach einen Überblick verschaffen kann. Damit werden wir unserem Ziel gerecht, aussagekräftig und planungssicher zu sein."

Frischer Wind für die Branche

Was für Günther + Schramm ein logischer Schritt war, könnte für die Branche richtungsweisend sein. „Diese Vorgehensweise der Digitalisierung ist für den Stahl- und Aluminiumhandel nicht selbstverständlich", sagt Volker Walz. „Umso stolzer sind wir, gemeinsam mit Aureco diesen Meilenstein erreicht zu haben. Wir haben ein gängiges System aus der modernen Industrie auf den mittelständischen Handel heruntergebrochen. Funktional und schnörkellos – genau so, wie es zu uns passt. Vielleicht werden wir damit zum Vorbild für andere Betriebe in unserer Branche."

Den Grundstein dazu hat der Systemdienstleister bereits gelegt. Denn auch für Aureco war die Maschinendatenerfassung ein Pilotprojekt. „Eine solche Software für einen Sägebetrieb zu programmieren, war eine ganz neue Aufgabe für uns", sagt Jonas Loder, „aber das Ergebnis ist skalierbar, also auch auf andere Maschinen übertragbar. Das könnte ein neues Geschäftsfeld für uns eröffnen." Alles in allem also eine Win-Win-Situation – und ein eindrucksvoller Beweis dafür, was gute Zusammenarbeit bewirken kann.

❙ *Günther + Schramm*

Das neue Sägezentrum besteht aus einem Bandsägeautomaten (links) sowie einer automatischen Bandsäge; im Hintergrund das Brückenlager von Remmert (Foto: Behringer)

RICHTUNGSWEISENDE INVESTITION

Vollautomatisches Sägezentrum für mehr Effizienz und Kostensenkung im Zuschnitt

Der Pumpenhersteller Netzsch hat mit einer richtungsweisenden Investition die bisherige konventionelle Zuschnittabteilung auf den Stand der Zeit gebracht. Jetzt erledigt ein neues Sägezentrum mit Brückenlager und vollständig automatisiertem Materialfluss die Sägeaufgaben im Schichtbetrieb.

Als globaler Spezialist für die Förderung komplexer Medien hat sich die Netzsch Pumpen & Systeme GmbH, mit Hauptsitz im oberbayerischen Waldkraiburg, auf die Entwicklung, die Produktion sowie den Vertrieb von Verdrängerpumpen spezialisiert. Jährlich werden mehr als 75.000 Pumpen produziert, die in den unterschiedlichsten Branchen wie Umwelt & Energie, Nahrung & Pharmazie, Chemie & Papier, Öl & Gas, Bergbau und im Bereich der Batterie-Herstellung zum Einsatz kommen.

Für die Herstellung der Pumpen wird zunächst Halbzeug – Stangen und Rohre in verschiedenen Güten – mit Durchmessern bis 540 mm zugeschnitten. Diese Sägezuschnitte werden dann an die mechanische Fertigung (Drehen/Fräsen) übergeben. Das alte Sägezentrum bei Netzsch bestand aus zwei stand-alone Bandsägeautomaten und vielen einzelnen Kragarmlagern, die eine komplette Produktionshalle einnahmen. Zum Abladen der Rohware vom LKW, beim Einlagern der Stäbe ins manuelle Langgutlager sowie beim Beschicken der Säge kam der Hallenkran zum Einsatz. Zudem waren die Materialien nicht katalogisiert.

„Der manuelle Personalaufwand war enorm", beschreibt Markus Hanslmaier, Projektmanager für die Produktionsplanung, die Ausgangssituation bei Netzsch. „Unsere Mitarbeiter investierten viel Zeit, um das erforderliche Material im Regal zu suchen, in die Säge zu befördern und händisch zu vermessen."

Projekt, Aufgabe und Auswahl der Partner

Das Hauptziel des Projekts bestand darin, eine deutliche Effizienzsteigerung sowie eine Kostensenkung zu erreichen. „Wir wollten die Kranbewegungen reduzieren, eine Materialverwaltung integrieren und dadurch eine Kostenkontrolle erzielen", betont Markus Hanslmaier. „Zuerst waren wir mit zwei Partnern, Remmert und Behringer, separat im

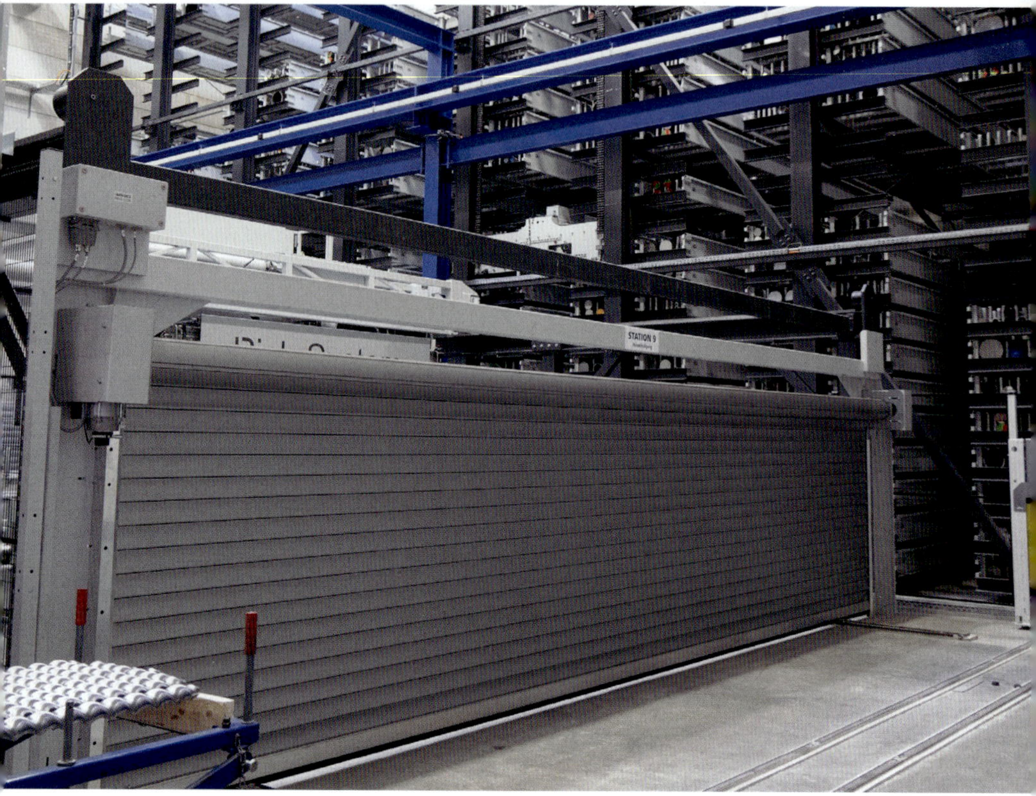

Das neue Hochregallager verfügt über 412 Langgutkassetten, die jeweils 4 t fassen können. Hinter dem geschlossenen Rolltor befindet sich der Übergabe-Bereich (Foto: Behringer)

Gespräch", erklärt Markus Hanslmaier. „Die individuelle Projektierung bei beiden Projektbeteiligten hat uns überzeugt. Die Platzverhältnisse sind beengt, aber Remmert und Behringer haben eine passende Lösung gefunden."

Materialfluss und Lagerung

Bei der Vereinnahmung des Rohmaterials werden die Stäbe vereinzelt und in die Lagerkassetten des Brückenlagers einsortiert. Innerhalb der Lagerkassetten erfolgt die Separierung der Stäbe oder Rohre über Teilungsstifte, um diese später automatisch entnehmen zu können. Anschließend wird die Kassette im Hochregal eingelagert.

Als zentrales Planungs- und Steuerungssystem dient das Warenmanagementsystem (kurz: WMS) von Remmert. Dort erfolgt die komplette Materialbestandsverwaltung. Zudem dient es als Schnittstelle zwischen dem ERP-System (SAP) des Kunden und den beiden Bandsägeautomaten von Behringer. Fertigungsaufträge werden aus SAP automatisch eingespielt, das

Das Pick-System (links) entnimmt den Stab aus der Lagerkassette und platziert ihn auf dem Pendelrollgang zur Säge (rechts) (Fotos: Behringer)

Rohmaterial entsprechend eingeplant und der Auftrag auf eine der beiden Bandsägen übergeben.

Hauptzeitparalleles Beschicken der Säge

Das Rohmaterial wird durch einen Portalroboter, das sogenannte PICK-System, vollautomatisch vom Hochregallager an die Sägen übergeben. Gleichzeitig werden die zugehörigen Auftragsdaten durch eine Schnittstelle eingespielt. Zufuhrseitig sind beide Sägeanlagen mit Pendelrollgängen versehen, die quer verfahren. Dadurch ist das Be- und Entladen des einen Rollengangs möglich, während auf der anderen Seite das Langgut des aktiven Sägeauftrags liegt. Nebenzeiten werden so quasi eliminiert und ein maximaler Anlagendurchsatz erreicht.

Vollautomatische Bearbeitung der Sägeaufträge

Für die Bearbeitung der Sägeaufträge setzt man bei Netzsch auf bewährte Sägetechnik aus dem

VTG präsentiert seine Produkte als zukunftsträchtige Lösungen für die Stahlindustrie (Foto: VTG)

Diese Fragen sind zu klären. Aus meiner Sicht gibt es eben nicht die eine Schrottbox, sondern verschiedene Ausprägungen.

Sie sind im Dialog mit den Stakeholdern. Wie funktioniert da der Austausch?

TJ. Wir sprechen zunächst mit den einzelnen Akteuren, mit denen wir bereits in Kontakt sind oder mit denen wir eine Geschäftsbeziehung haben. Das gilt auch für Verbände, beispielsweise für die Wirtschaftsvereinigung Stahl. Darüber hinaus bieten wir für alle Interessierte der Stahlindustrie so ein Event wie heute an. Es ist lediglich der Auftakt für eine Tournee durch Europa – mit sechs Events in fünf Ländern. Wir versuchen eine Plattform für unsere Stakeholder zu etablieren. Es geht darum, dass man die Expertise von beiden Seiten zusammenbringt und dass wir als Waggonbauer, Waggonvermieter und Anbieter von kundenspezifischen Aufbauten mit unserem Netzwerk an einen Tisch kommen. Dabei geht es nicht nur um Assets, sondern auch um die Frage, was die Akteure in der Stahlindustrie noch an Services rund um die Nutzung der Assets braucht. Auch da gibt es nicht die One-Size-

Fits-All-Antwort. Manche möchten gerne selbst handeln und andere sind froh, wenn ihnen alles abgenommen wird.

Wie flexibel berücksichtigen Ihre Produkte die verschiedenen Abmessungen und Eigenschaften von transportierten Halbzeugen?

TJ. Wir bieten verschiedene Varianten der ModuPallet Pipe an. Mit der ModuPallet Pipe haben wir flexible Möglichkeiten, verschiedenste Rohre mit unterschiedlichen Längen und Durchmessern zu transportieren. Mit der ModuPallet Coils & Steel können wir Brammen, aber auch Hot Rolled Coils bewegen. Für uns ist es einerseits notwendig, auf kundenseitige Forderungen und Nachfrage zu reagieren. Auf der anderen Seite können wir aber nicht für jede Fragestellung ein neues Produkt entwickeln. Beim Standard-Güterwagen sind wir an einen Investitionszyklus von 30 bis zu 40 Jahren gebunden. Der älteste Wagen, der für die Stahlindustrie im Einsatz ist, wurde 1971 gebaut – er erfüllt aber noch voll seinen Zweck. Im Bereich der Modularität bin ich viel flexibler; da investiere ich zwar über drei oder vier Dekaden in die Plattform, also den Tragwagen. Die Aufbauten kann ich aber jederzeit und einfacher austauschen und bin nicht langfristig an den erstmaligen Verwendungszweck gebunden.

Wie ausgeprägt sind demnach die Pfadabhängigkeiten?

TJ. Wenn man sich einmal für so ein Produkt entschieden hat, dann kann man jederzeit darauf zugreifen. Wir gehen mit der Zeit und man ist da nicht festgelegt. Die Produkte sind entwickelt und bleiben auch erstmal bestehen. Im Sinne der Nachhaltigkeit und auch aus wirtschaftlichem Interesse wird versucht, die Produkte so lange wie möglich zu nutzen. Es müssen dafür entsprechende Einsatzzwecke gefunden werden.

Sie bieten mit FastTrack eine Digitalisierungslösung an. Was sind die Vorteile?

TJ. FastTrack ist mit Share Now für die Straße vergleichbar. Es bietet die Flexibilität für die Abdeckung von Spitzen. Ich kann jederzeit – ohne telefonischen Kontakt – direkt online eine Kapazität buchen, die ich dann auch selbst aus dem Gleis ziehe und entsprechend wieder zurückstelle. Der Prozess wird so deutlich vereinfacht und FastTrack ist somit der perfekte Ansatz, um Bedarfsspitzen einfach und flexibel abzudecken. Wir sind allerdings noch im Aufbau und bieten noch nicht alle Fahrzeugtypen über FastTrack an, erweitern aber gerade deutlich unsere Standorte und das Angebot von weiteren Fahrzeugtypen.

Vielen Dank für das Gespräch.

ROHSTOFFE

Vanadium-Markt könnte sich bis 2030 verdoppeln

Vanadium ist ein wichtiges Metall für die Stahlindustrie, wo es vor allem als Legierungselement verwendet wird. Die Nachfrage aus der Stahlindustrie macht heute etwa 85 Prozent des Marktes aus. Durch den steigenden Bedarf in den Bereichen Batterien und Luftfahrt wird erwartet, dass die weltweite Nachfrage nach Vanadium kontinuierlich um mehr als 8 Prozent pro Jahr wächst.

Vanadium war bis vor wenigen Jahren öffentlich ein eher wenig beachtetes Metall. Russland und China, die etwa 78 Prozent des Weltmarktes beherrschen, produzierten es vor allem für die globale Stahlindustrie. Auch in Brasilien und Südafrika wird Vanadium in großem Umfang produziert. Wie Chrom können auch geringe Mengen Vanadium die Festigkeit, Härte und Temperaturbeständigkeit von Stahl erhöhen.

Die besonderen Eigenschaften des Metalls haben jedoch zu einer starken Nachfrage aus anderen Bereichen geführt. Dank des Zusatzes von Vanadium in Legierungen können Flugzeuge leichter gemacht werden, was Treibstoff spart. Diese Eigenschaften sind auch für Anwendungen wichtig, die Hochleistungswerkstoffe erfordern, wie Düsentriebwerke, Hochgeschwindigkeitsflugzeuge und Automobilstahl.

Das größte Nachfragewachstum gibt es aber aus dem Bereich Batterien. Mit der weltweit eingeleiteten Energiewende müssen Netze das Problem lösen, dass Wind und Sonne nicht immer dann Energie produzieren, wenn sie von Haushalten und Industrie gebraucht wird. Daher sind Vanadium Redox-Flow Batterien ein wichtiges Element, um dieses Problem zu lösen. Dabei wird die aus Sonne und Wind gewonnene Energie gespeichert und erst dann abgegeben, wenn sie benötigt wird. Das ist für die Stabilität der Stromnetze enorm wichtig.

Dementsprechend wird erwartet, dass die Nachfrage nach Vanadium kontinuierlich um mehr als 8 Prozent pro Jahr wächst und bereits 2030 ein Volumen von mehr als 80 Milliarden US-Dollar aufweisen werde. Das zumindest prognostizieren Analysten. Die Nachfrage aus der Stahlindustrie, die heute etwa 85 Prozent des Marktes ausmacht, dürfte dann deutlich zugunsten von Luftfahrt- und Batterieindustrie sinken.

Abhängigkeiten von Russland und China reduzieren

Der Markt weist mit der Übermacht der russischen und chinesischen Vanadium-Produktion ein politisches Ungleichgewicht auf. Spätestens seit dem Beginn des Ukraine-Kriegs stehen stabile Lieferketten ganz oben auf der Agenda von Politik und Unternehmen im Westen wie im Osten. Dadurch wachsen die Chancen für Vanadium-Unternehmen mit Vorkommen in neutralen Staaten wie Südafrika. Dazu gehört auch Vanadium Resources. Das australische Unternehmen verfügt mit dem Steelpoortdrift-Projekt nordöstlich von Johannesburg über eines

Vanadium Resources will in Südafrika eines der größten und wirtschaftlichsten Vanadium-Vorkommen der Welt erschließen (Foto: Vanadium Ressources)

der größten und wirtschaftlichsten Vanadium-Vorkommen der Welt. Im Jahr 2024 will das Unternehmen alle Hürden nehmen, um die Mine bauen zu können mit der Aussicht auf einen möglicher Minenbetrieb über 25 Jahre hinweg.

Vanadium Resources verhandelt mit seinem Großaktionär Matrix Resources, der 9,99 Prozent der Aktien der Australier hält über einen Abnahmevertrag. Dabei würde Matrix Resources einen Teil der Produktion vorab kaufen und dafür eine Upfront-Zahlung leisten. Diese würde Vanadium Resources dann als einen Teil die Finanzierung des Minenbaus nutzen.

Vanadium Resources

Die Specteculars am Eiffelturm (Bild: Mark Mercer)

OLYMPIA 2024 IN PARIS

„Kompetenz hängt nicht vom Alter ab"

Die Olympischen Sommerspiele 2024 in Paris sind vorbei und Professor Pierre Engel blickt zurück. Er verantwortete das Aufhängen der olympischen Ringe – die Specteculars – am Eiffelturm und die para-lympischen Agitos am Arc de Triomphe. Im Gespräch erläutert er die technischen Herausforderungen der Projekte. Außerdem hat er eine Nachricht an den Nachwuchs: Es brauche die Besten der Besten – und dies können auch junge Menschen sein.

Professor Pierre Engel
(Bild: Geraldine Bruneel)

> Auf dem 84 Meter hohen Eiffelturm sind die olympischen Ringe Windkräften von etwa zwei Kilonewton pro Quadratmeter ausgesetzt.
>
> *Professor Pierre Engel*

Die Konstruktion und das Anbringen der olympischen Ringe sind komplexe Ingenieursleistungen. Wie denken Sie rückblickend über das Projekt?

Pierre Engel. Anfangs hat man mich gefragt, ob ich das Projekt umsetzen möchte. Ich sagte zu, aber dann muss der Job auch erledigt werden. Bei der Umsetzung stellte sich schnell die Frage: Wo bringen wir die olympischen Ringe an? Zuerst wollten wir sie an den Bogen des Eiffelturms hängen. Aber nach den technischen Angaben von Gustave Eiffel sind die Bögen nicht Teil der statischen Struktur. Man kann dort keine 30 Tonnen Gewicht aufhängen. Die zweite Idee war, sie zwischen dem ersten und dem zweiten Stockwerk anzubringen. Eine weitere Herausforderung war das Gewicht der Ringe, denn der Eiffelturm ist ein 135 Jahre altes Bauwerk. Das damals verwendete Puddeleisen wog rund 7.300 Tonnen. Würde man heute hier Stahl verwenden, würde das Gewicht um 3.650 Tonnen sinken.

Wie haben Sie äußere Krafteinwirkungen bei der Aufhängung berücksichtigt?

PE. Auf einer Höhe von 84 Metern sind die olympischen Ringe am Eiffelturm Windkräften von etwa zwei Kilonewton pro Quadratmeter ausgesetzt. Wir hatten eine technische Debatte über die Übertragung dieser Kräfte auf die Struktur des Eiffelturms. Aus ästhetischen

Technische Daten zu den Specteculars

- Abmessungen: 29 Meter lang und 15 Meter hoch
- Material: ArcelorMittal XCarb®, recycelter und erneuerbar hergestellter Stahl
- Positionierung: ca. 84 Meter über dem Boden – zwischen dem ersten und dem zweiten Stockwerk des Eiffelturms
- Herstellung: gegossen in ArcelorMittal Châteauneuf, vorgewalzt im Werk in Le Creusot, weitergewalzt in ArcelorMittal Dünkirchen
- Weiterverarbeitung: geschnitten, gebogen und geschweißt in der Nähe von Épinal in den Vogesen
- Beleuchtung: nachts in Weiß
- Hängung: 10 hochfesten Seile – von ArcelorMittal in Bourg-en-Bresse hergestellt, gemessen und vorgespannt

Die Tragestruktur der Specteculars sollte so unauffällig wie möglich sein (Bild: Geraldine Bruneel)

Gründen einigten wir uns mit Bernard Vaudeville, dem Leiter unseres Konstruktionsbüros TESS, darauf, dass die tragende Struktur so unauffällig wie möglich sein sollte. Sie ist in einer Art Tensegrity angeordnet. Die Ringe selbst sind strukturelle Komponenten, da sie Wind und Schwerkraft widerstehen. Der Wind erzeugt eine Wirbelschleppe, wie bei einem Flugzeugflügel. Dies führt zu Schwingungen, d.h. die Struktur und der Stahl als Material müssen flexibel arbeiten können. Die Frequenz muss hoch genug sein, um Resonanzen zu vermeiden. Wir wollten nicht, dass sich die Ringe wie eine Fahne bewegen. Das Wichtigste war, so wenig wie möglich von der tragenden Struktur zu zeigen.

Technische Daten zu den paralympischen Agitos

- Material: ArcelorMittal XCarb®, recycelter und erneuerbar hergestellter Stahl
- Gewicht: Agitos-Bogen je eineinhalb Tonnen, der Rahmen neun Tonnen
- Abmessung: jeder Bogen 7x3 Meter, die gesamte Struktur misst 12x9 Meter
- Farbgebung: Blau, Grün und Rot, entsprechend den drei Farben, die in den Nationalflaggen der Welt am häufigsten vertreten sind
- Beleuchtunng: durch eine externe Digital-Mapping-Beleuchtungstechnik

Die Agitos am Arc de Triomphe
(Bild: Geraldine Bruneel)

Welche externen Vorgaben mussten bei den Ringen erfüllt werden?

PE. Die Farben auf der Vorderseite sind nach der olympischen Charta vorgegeben. Für die anderen Seiten haben wir uns bewusst für eine Bleifarbe entschieden. Bei Tag (farbig) und Nacht (weiß) ist die Beleuchtung der Ringe kostengünstig und verbraucht nur wenig Energie. Gleichzeitig verstärkt das entstehende metallische Weiß tagsüber die Farben. In der Nacht erscheinen die Ringe in Weiß, da der schwarze Ring nicht so leicht beleuchtet werden kann. Die in einem Merkblatt des Olympischen Komitees beschriebenen Proportionen der Ringe sind ebenfalls sehr wichtig.

Technische Daten zur Fackel

- Designer: Mathieu Lehanneur
- Material: ArcelorMittal XCarb®, recycelter und erneuerbar hergestellter Stahl
- Größe: 70 cm
- Minimaler Durchmesser: 3,5 cm
- Maximaler Durchmesser: 10 cm
- Gewicht: 1,5 kg
- Dicke des Stahlkörpers: 0,7 mm
- Anzahl der montierten Teile: 10 Hauptkomponenten

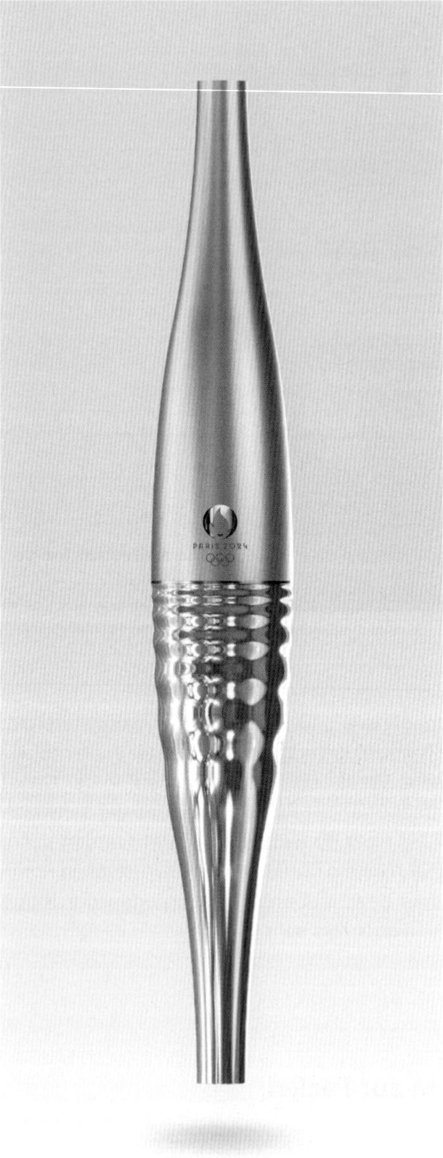

Das wellenartige **Desginelement bezieht sich auf die Wellen der Seine** (Bild: ArcelorMittal)

Wie verlief die Aufhängung der Agitos am Arc de Triomphe?

PE. Die Herausforderungen waren anders. Die Agitos ruhen auf dem Beauvais-Kalksteingesims des Arc de Triomphe ohne jegliche Bohrung. Bei Christos Kunstinstallationsprojekt im Jahr 2021 genehmigte die Denkmalverwaltung eine begrenzte Anzahl von Löchern, die in den Stein gebohrt werden durften. Als wir mit ihnen über unsere Realisierung sprachen, wurde uns nicht gestattet, weitere Löcher zu bohren. Wir hätten die vorhandenen Bohrlöcher nutzen können, aber sie waren inzwischen mit Zement verfüllt und nicht ohne Weiteres zu erkennen. Wir entschieden uns dagegen und planten, die Schwerkraft zu nutzen, um die Agitos anzuheben. Das Eigengewicht der Konstruktion würde die Windkräfte kompensieren können. Wir haben die Kräfte auf die Seiten neben dem Gewölbe verteilt, da dieses empfindlich ist. Wir haben also zwei Projekte mit jeweils unterschiedlichen Herausforderungen.

Welche Rolle spielte das Team?

PE. Insgesamt waren rund 200 Personen am gesamten Prozess beteiligt: von den Stahlarbeitern über die Kranführer bis hin zu den professionellen Kletterern, den Spidermen. Das Team musste von Anfang an professionell organisiert sein, es brauchte die Besten. Anfänglich wurde die Kompetenz der jungen Teammitglieder in Frage gestellt. Aber ich glaube, dass Kompetenz nicht vom Alter abhängt. Wie eine Kette, die nur so stark ist wie ihr schwächstes Glied, müssen bei solchen Projekten alle gleich stark sein. Das gilt auch für die Technik: Die Verbindung zu den Bauwerken muss stark sein. Die Verantwortlichen am Eiffelturm waren besorgt um ihr Monument, weil sie vorher nicht genau wussten, was auf sie zukommt. Aber nach einem Reibungstest an einer der Säulen konnten wir sie überzeugen, und am Ende waren alle zufrieden.

Wie verlief die Herstellung der olympischen Fackel?

PE. Die Fackel wurden vollständig in den französischen Werken von ArcelorMittal produziert: Châteauneuf, Florange und Woippy. Außerdem hatten wir einen Partner, der das Laserschweißen übernommen hat. Eine Herausforderung war die Integration der Gaskartusche in das Innere der Fackel, denn die Flamme muss nach außen sichtbar sein. Gegen die entstehende Wärme haben wir eine feuerbeständige Beschichtung entwickelt und in Tests die Temperatur gemessen. Im Ergebnis erwärmte sich der Stahl nur geringfügig. So konnten wir der Sorge vor Verbrennungen des Fackelträgers vorbeugen. Zuletzt waren die Ideen des Designers zu berücksichtigen; er wollte eine Politur vornehmen. Insgesamt war der Ablauf sehr anspruchsvoll.

Welche Spuren hat ArcelorMittal mit den Projekten bei Olympia hinterlassen?

PE. Jede Nacht, wenn die Fackel in einer französischen Stadt angekommen ist und das Feuer entzündet wurde, hat das jeder gesehen. Es war sehr symbolisch. Man darf nicht vergessen: Das Material ist 0,7 mm dick. Die Elastizität von Stahl ist dreimal so hoch wie bei Aluminium und zwanzigmal so hoch wie bei Zinn. Ein solches Design kann man nur mit Stahl machen.

Vielen Dank für das Gespräch.

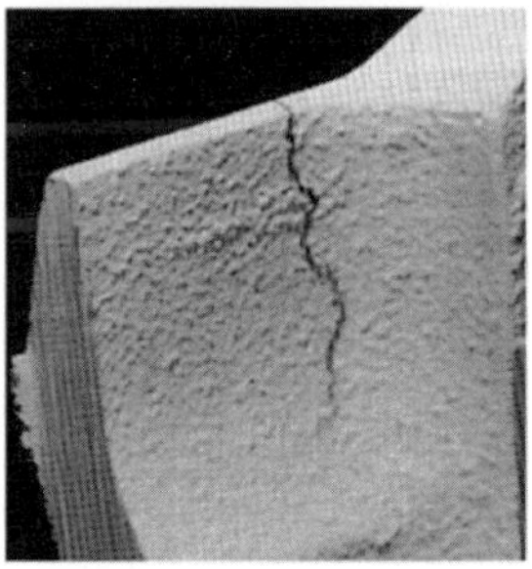

REGAL- UND LAGERSYSTEME IM AUFWIND

Innovative Hochregallager aus Stahlprofilen

Die aus Stahlprofilen gefertigten Hochregallagersysteme der Metal Forming Division des voestalpine-Konzerns sind weltweit gefragt. Aktuell realisiert die voestalpine unter anderem Projekte für die dänische Handelskette JYSK sowie den südkoreanischen Reifenhersteller Nexen Tire Corporation. Für letzteren entsteht bis 2025 in Tschechien das mit 50 Meter bisher höchste Hochregallager in der Konzerngeschichte. Vor diesem Hintergrund erweitert die voestalpine die Produktionskapazitäten im Bereich Regal- und Lagersysteme.

Die Metal Forming Division der voestalpine ist Spezialist für hochtechnologische Lösungen für die Lagerverwaltung. Dabei übernimmt das Unternehmen den gesamten Prozess von der Planung über Engineering und Fertigung bis zur Montage. „Der Bereich Regal- und Lagersysteme entwickelt sich, unter anderem aufgrund des starken Onlinehandels, nach wie vor sehr positiv und ist für uns ein bedeutender Zukunftsmarkt. Die konstant gute Auftragslage und die aktuellen Prestigeprojekte mit langjährigen Kunden unterstreichen einmal mehr, dass wir mit unserer Expertise in diesem anspruchsvollen Segment eine wichtige Partnerin für Produktions- und Handelsbetriebe auf der ganzen Welt sind", sagt Herbert Eibensteiner, CEO der voestalpine AG.

50-Meter-Hochregallager setzt neue Maßstäbe

Für ein Distributionszentrum des Einrichtungshändlers JYSK in Lelystad, Niederlande, baut die voestalpine aus 8.000 Tonnen Stahl zwei Regalblöcke mit jeweils einer Höhe von 45 Metern. Das Lager mit Platz für etwa 166.000 Paletten soll bis Dezember 2025 fertiggestellt werden. Ebenso vertraut eine österreichische Möbelhauskette bei der Errichtung eines neuen Zentrallagers im Burgenland bis Oktober 2024 mit rund 70.000 Palettenplätzen auf das bewährte Know-how des voestalpine-Konzerns.

Ein weiteres Prestigeprojekt setzt die voestalpine im tschechischen Zatec um, wo für den Reifenkonzern Nexen Tire Corporation bis 2025 eine 50 Meter hohe Regalkonstruktion entsteht. Diese ist auf die Einlagerung von 18.000 Reifenpaletten ausgelegt. „Insbesondere bei vollautomatisch zu bedienenden Hochregalsilos mit Höhen über 30 Meter nimmt die voestalpine eine führende Rolle ein. Auf die Realisierung eines der höchsten Hochregallager in der Geschichte der Metal Forming Division sind wir sehr stolz", so Carola Richter, Vorstandsmitglied der voestalpine AG und Leiterin der Metal Forming Division. Zahlreiche weitere Projekte in Silobauweise für Unternehmen unter anderem aus der Möbel-, Holzbau- oder Logistikbranche befinden sich aktuell in Umsetzung.

Für große Hochregallagerprojekte übernimmt die Metal Forming Division der voestalpine den gesamten Prozess von der Planung über Engineering und Fertigung bis zur Montage (Foto: voestalpine)

Erste Produktion in Nordamerika

Darüber hinaus realisiert auch die voestalpine-Tochter Nedcon mit Sitz in den Niederlanden eine Reihe an großen Projekten, zumal diese eine führende Rolle bei In-House Lagerlösungen nicht nur in Europa, sondern auch am nordamerikanischen Markt einnimmt. Denn auch hier steigt die Nachfrage an hochtechnologischen Lagersystemen zusehends. Mit der Inbetriebnahme eines neuen Produktionsstandortes für Lagersysteme in Louisville, Kentucky, konnte die voestalpine erst kürzlich einen wichtigen strategischen Schritt zum nachhaltigen Wachstum in den USA setzen. Dieses Werk umfasst drei Fertigungslinien. Ein weiterer Ausbau der Produktions- und Vertriebskapazitäten für Lagersysteme ist in Planung.

Die Metal Forming Division ist das Kompetenzzentrum des voestalpine-Konzerns für hochentwickelte Profil-, Rohr- und Präzisionsbandstahlprodukte sowie einbaufertige Systemkomponenten aus Press-, Stanz- und rollprofilierten Teilen. Mit der branchenweit einzigartigen Verbindung von Werkstoffexpertise und Verarbeitungskompetenz sowie einer weltweiten Präsenz beliefert die Division innovations- und qualitätsorientierte Anwender in einer Vielzahl an Branchen, darunter Automobil, Lagertechnik, Straßensicherheit, erneuerbare Energien, Bau- und Maschinenbau. Die Division beschäftigt knapp 11.600 Mitarbeitende und hat sich zum Ziel gesetzt, bis 2035 klimaneutral zu produzieren. Im Geschäftsjahr 2023/24 erreichte die Division einen Umsatz von 3,4 Milliarden Euro und ein operatives Ergebnis (EBITDA) von 301 Millionen Euro.

voestalpine AG

Inhalt

Alphabetisches Firmenverzeichnis

AG der Dillinger Hüttenwerke
P.O.Box 1580, 66748 Dillingen
T: +49 6831 47-0, F: +49 6831 47-2212

ALMAMET GMBH
Gewerbestr. 5A, 83404 Ainring
T: +49 8654 77318-0, F: +49 8654 5605
info@almamet.com
www.almamet.com

ARISTON Formstaub-Werke GmbH & Co. KG
Worringstr. 255, 45289 Essen
T: +49 201 57761, F: +49 201 570648
www.ariston-essen.de

BEDA-Oxygentechnik GmbH
An der Pönt 59, 40885 Ratingen
T: +49 2102 9109-0
info@BEDA.com
www.BEDA.com

Brokk DA GmbH
Friedenweilerstr. 37C
79877 Friedenweiler
T: +49 7654 21297-0
info@brokk.de, www.brokk.de

Chemetall GmbH
Zweigniederlassung Schweiz
Aarauerstr. 51, 5200 Brugg, Schweiz
T: + 49 (0)69 2729 0003, F -04
www.chemetall.com

DANGO & DIENENTHAL
BETTER VALUES.

DANGO & DIENENTHAL Maschinenbau GmbH
Hagener Str. 103, 57072 Siegen
T: +49 271 401-0, F: +49 271 401-4210
www.dango-dienenthal.de

DELTA Vertriebsges. mbH
Berliner Str. 56, 77694 Kehl
T: 06183/9194323, info.de@deltasensor.eu
www.deltasensor.eu

DIMETIX
LASER DISTANCE SENSORS

DIMETIX AG
Degersheimerstr. 14
9100 Herisau, Schweiz
T: +41 71 353 00 00
www. dimetix.com

DFP

Dörentrup Feuerfestprodukte GmbH & Co.KG
www.doerentrup-feuerfest.de

Maschinenfabrik Gustav Eirich
GmbH & Co KG
Walldürner Str. 50, 74736 Hardheim
T: +49 6283 51-0, F: +49 6283 51-325
eirich@eirich.de, www.eirich.de

Egon Evertz KG (GmbH & Co.)
Birkenweiher 60 - 80, 42651 Solingen
T: +49 212 22311-0, F: +49 212 22311-149
info@evertz-group.com
www.evertz-group.com

EVERTZ Magnetbau GmbH & Co. KG
Birkenweiher 60 - 80, 42651 Solingen
T: +49 212 22311-0, F: +49 212 22311-149
magnetbau@evertz-group.com
www.evertz-group.com

EZM Edelstahlzieherei Mark GmbH
Auf der Bleiche 26, 58300 Wetter
T: +49 2335 977-0, F: +49 2335 977-277
www.ezm-mark.de

GfM Gesell. für Maschinendiagnose mbH
Köpenicker Straße 325, 12555 Berlin
T: 030 6576 2565
www.maschinendiagnose.de

GLAMA Maschinenbau GmbH
Hornstr. 19, 45964 Gladbeck
T: +49 2043 9738-0, F: +49 2043 47268
www.glama.de

HELLING GmbH
Spökerdamm 2, 25436 Heidgraben
T: +49 4122 922-0 F: +49 4122 922-201
info@helling.de
www.helling.de

---

ideas and solutions

Johannes Hübner
Fabrik elektrischer Maschinen GmbH
Siemensstr. 7, 35394 Gießen
T: +49 641 7969-0 F: +49 641 73645
www.huebner-giessen.com

HYDROWATT AG
Freistrasse 2
8200 Schaffhausen, Schweiz
T: +41 52 624 53 22
info@hydrowatt.com
www.hydrowatt.com

TotalEnergies

TotalEnergies Marketing Deutschland GmbH
Vertriebsdirektion Schmierstoffe
Jean-Monnet-Str. 2, 10557 Berlin
T: +49 30 2027-6787
F: +49 30 2027-796634
totalenergies.de/industrie

Rudolf Uhlen GmbH
Am Höfgen 13, 42781 Haan
T: +49 2129 1444, F: +49 2129 59980
www.aschua-uhlen.de

Unitechnik Automatisierungs GmbH
www.unitechnik.com

Venti Oelde

Ventilatorenfabrik Oelde GmbH
Robert-Schuman-Ring 21
59302 Oelde
T: +49 25 22 75-0, F: -2 50
info@venti-oelde.de, www.venti-oelde.de

VIB GmbH
Project Management–Consulting Engineers
Prinz-Regent-Str. 64 - 68
44795 Bochum
T: +49 234 971 90 86
F: +49 234 971 90 88
vib@vib-bochum.de
www.vib-bochum.de

WOMA®
Kärcher Group

WOMA GmbH | Kärcher Group
47226 Duisburg
T: +49 2065 304-0 | F: -200
www.woma-group.com

Alphabetisches Stichwortverzeichnis

Produkt- und Dienstleistungs-verzeichnis

01 Rohstoffe, Hilfsstoffe und Betriebsstoffe

01.02 Kohle, Koks

60 Braunkohlenkoks
Rheinbraun Brennstoff GmbH
Ludwigstraße, 50226 Frechen
T: +49 221 480-25448
lsr@rwe.com
www.rheinbraun-brennstoff.de

65 Gießereikoks
Rheinbraun Brennstoff GmbH
Ludwigstraße, 50226 Frechen
T: +49 221 480-25448
lsr@rwe.com
www.rheinbraun-brennstoff.de

70 Koks
Rheinbraun Brennstoff GmbH
Ludwigstraße, 50226 Frechen
T: +49 221 480-25448
lsr@rwe.com
www.rheinbraun-brennstoff.de

80 Koksgrus
Rheinbraun Brennstoff GmbH
Ludwigstraße, 50226 Frechen
T: +49 221 480-25448
lsr@rwe.com
www.rheinbraun-brennstoff.de

90 Koksgrus, trocken
ARISTON Formstaub-Werke GmbH & Co. KG
Worringstr. 255, 45289 Essen
T: +49 201 57761, F: +49 201 570648
www.ariston-essen.de

Rheinbraun Brennstoff GmbH
Ludwigstraße, 50226 Frechen
T: +49 221 480-25448
lsr@rwe.com
www.rheinbraun-brennstoff.de

100 Petroleumkoks
Rheinbraun Brennstoff GmbH
Ludwigstraße, 50226 Frechen
T: +49 221 480-25448
lsr@rwe.com
www.rheinbraun-brennstoff.de

110 Steinkohle, Anthrazit
Rheinbraun Brennstoff GmbH
Ludwigstraße, 50226 Frechen
T: +49 221 480-25448
lsr@rwe.com
www.rheinbraun-brennstoff.de

01.05 Metalle und Legierungen

380 Legierungen
LOI Thermprocess GmbH
Schifferstr. 80, 47059 Duisburg
T: +49 203 80398-900
F: +49 203 80398-901
loi@tenova.com, www.loi.tenova.com

385 Magnesiumlegierungen
ALMAMET GMBH
Gewerbestr. 5A, 83404 Ainring
T: +49 8654 77318-0, F: +49 8654 5605
info@almamet.com
www.almamet.com

01.06 Zusätze und Flussmittel

580 Aufkohlungsmittel
Rheinbraun Brennstoff GmbH
Ludwigstraße, 50226 Frechen
T: +49 221 480-25448
lsr@rwe.com
www.rheinbraun-brennstoff.de

612 Schlackenkonditionierer
Knauf Performance Materials GmbH
Kipperstr. 19
44147 Dortmund
T: +49 231 9980-01 F: -138

01.08 Schmierstoffe

690 Schmierstoffe
TotalEnergies Marketing Deutschland GmbH
Vertriebsdirektion Schmierstoffe
Jean-Monnet-Str. 2, 10557 Berlin
T: +49 30 2027-6787
F: +49 30 2027-796634
totalenergies.de/industrie

02 Rohstoffaufbereitung

02.01 Erzaufbereitung

740 Mischer/Kernsandmischer
Maschinenfabrik Gustav Eirich
GmbH & Co KG
Walldürner Str. 50, 74736 Hardheim
T: +49 6283 51-0, F: +49 6283 51-325
eirich@eirich.de, www.eirich.de

03 Roheisenerzeugung

03.01 Hochöfen

1125 Auskleidung Hochofenrinnen
Bernhard Jacob GmbH
Am Sandberg
66333 Völklingen-Ludweiler
T: +49 6898 54520 F: +49 6898 545238
info@bernhard-jacob-gmbh.de
www.bernhard-jacob-gmbh.de

1150 Wärmerückgewinnungsanlagen
LOI Thermprocess GmbH
Schifferstr. 80, 47059 Duisburg
T: +49 203 80398-900
F: +49 203 80398-901
loi@tenova.com, www.loi.tenova.com

03.02 Direktreduktionsanlagen

1160 Direktreduktionsanlagen
LOI Thermprocess GmbH
Schifferstr. 80, 47059 Duisburg
T: +49 203 80398-900
F: +49 203 80398-901
loi@tenova.com, www.loi.tenova.com

1172 DRI-Heißgutförderer
LOI Thermprocess GmbH
Schifferstr. 80, 47059 Duisburg
T: +49 203 80398-900
F: +49 203 80398-901
loi@tenova.com, www.loi.tenova.com

03.04 Komponenten

1260 Einblasanlagen für Kohlenstoff
STEIN INJECTION TECHNOLOGY GmbH
Hagener Str. 20-24, 58285 Gevelsberg
T: +49 2332 75742-0
F: +49 2332 75742-40
stein@sit-gmbh.net, www.sit-gmbh.net

04 Stahlerzeugung

04.01 Roheisenvorbereitungsanlagen

1720 Roheisen-Entschwefelungsanlagen
ALMAMET GMBH
Gewerbestr. 5A, 83404 Ainring
T: +49 8654 77318-0, F: +49 8654 5605
info@almamet.com
www.almamet.com

STEIN INJECTION TECHNOLOGY GmbH
Hagener Str. 20-24, 58285 Gevelsberg
T: +49 2332 75742-0
F: +49 2332 75742-40
stein@sit-gmbh.net, www.sit-gmbh.net

04.04 Elektrostahlwerk

1810 Einblasanlagen für Elektroöfen
STEIN INJECTION TECHNOLOGY GmbH
Hagener Str. 20-24, 58285 Gevelsberg
T: +49 2332 75742-0
F: +49 2332 75742-40
stein@sit-gmbh.net, www.sit-gmbh.net

1875 Lichtbogenpfannenöfen
LOI Thermprocess GmbH
Schifferstr. 80, 47059 Duisburg
T: +49 203 80398-900
F: +49 203 80398-901
loi@tenova.com, www.loi.tenova.com

1900 Graphitelektroden
TOKAI ERFTCARBON GmbH
Postfach 10 02 63, 41486 Grevenbroich
Aluminiumstr. 4, 41515 Grevenbroich
T: +49 2181 4952-120
F: +49 2181 4952-252
juergen.baust@tokai-erftcarbon.com
www.tokai-erftcarbon.com

04.05 Induktionsöfen

1995 Schutzsystem für Induktionsspulen
Saveway GmbH & Co. KG
Wümbacher Landstr. 8, 98693 Ilmenau
T: +49 3677 8060-0, F: +49 3677 8060-99
www.saveway-germany.de

04.07 Sekundärmetallurgie

2028 Anlagen zum chemischen Heizen
LOI Thermprocess GmbH
Schifferstr. 80, 47059 Duisburg
T: +49 203 80398-900
F: +49 203 80398-901
loi@tenova.com, www.loi.tenova.com

2030 Argon-Spüleinrichtungen
BEDA-Oxygentechnik GmbH
An der Pönt 59, 40885 Ratingen
T: +49 2102 9109-0
info@BEDA.com
www.BEDA.com

LOI Thermprocess GmbH
Schifferstr. 80, 47059 Duisburg
T: +49 203 80398-900
F: +49 203 80398-901
loi@tenova.com, www.loi.tenova.com

2040 Blas- und Injektionsförderanlagen für Filterstäube
STEIN INJECTION TECHNOLOGY GmbH
Hagener Str. 20-24, 58285 Gevelsberg
T: +49 2332 75742-0
F: +49 2332 75742-40
stein@sit-gmbh.net, www.sit-gmbh.net

2060 Einblasanlagen für metallurgische Prozesse
STEIN INJECTION TECHNOLOGY GmbH
Hagener Str. 20-24, 58285 Gevelsberg
T: +49 2332 75742-0
F: +49 2332 75742-40
stein@sit-gmbh.net, www.sit-gmbh.net

2080 Pfannenmetallurgische Anlagen
LOI Thermprocess GmbH
Schifferstr. 80, 47059 Duisburg
T: +49 203 80398-900
F: +49 203 80398-901
loi@tenova.com, www.loi.tenova.com

2110 Sekundärmetallurgische Anlagen
LOI Thermprocess GmbH
Schifferstr. 80, 47059 Duisburg
T: +49 203 80398-900
F: +49 203 80398-901
loi@tenova.com, www.loi.tenova.com

2120 Stahlentgasungsanlagen
LOI Thermprocess GmbH
Schifferstr. 80, 47059 Duisburg
T: +49 203 80398-900
F: +49 203 80398-901
loi@tenova.com, www.loi.tenova.com

2130 Stahlentschwefelungsanlagen

LOI Thermprocess GmbH
Schifferstr. 80, 47059 Duisburg
T: +49 203 80398-900
F: +49 203 80398-901
loi@tenova.com, www.loi.tenova.com

STEIN INJECTION TECHNOLOGY GmbH
Hagener Str. 20-24, 58285 Gevelsberg
T: +49 2332 75742-0
F: +49 2332 75742-40
stein@sit-gmbh.net, www.sit-gmbh.net

2140 T+P Lanzeneinrichtungen

LOI Thermprocess GmbH
Schifferstr. 80, 47059 Duisburg
T: +49 203 80398-900
F: +49 203 80398-901
loi@tenova.com, www.loi.tenova.com

04.08 Tertiärmetallurgie

2144 Vakuumentgasungsanlagen

LOI Thermprocess GmbH
Schifferstr. 80, 47059 Duisburg
T: +49 203 80398-900
F: +49 203 80398-901
loi@tenova.com, www.loi.tenova.com

04.09 Komponenten

2150 Abschlackmaschinen

DANGO & DIENENTHAL Maschinenbau GmbH
Hagener Str. 103, 57072 Siegen
T: +49 271 401-0, F: +49 271 401-4210
www.dango-dienenthal.de

2180 Ausbrechmaschinen für Elektroöfen, Konverter, Gießpfannen u.a.

Brokk DA GmbH
Friedenweilerstr. 37C
79877 Friedenweiler
T: +49 7654 21297-0
info@brokk.de, www.brokk.de

TopTec Spezialmaschinen GmbH
Breithornstr. 10, 81825 München
T: +49 89 42720550
info@toptec-germany.de
www.toptec-germany.de

2182 Brennlanzen (Sauerstoff) für Tundish und Pfannenschieber

BEDA-Oxygentechnik GmbH
An der Pönt 59, 40885 Ratingen
T: +49 2102 9109-0
info@BEDA.com
www.BEDA.com

2230 Chargiermaschinen (Mulden- und Zangen)

DANGO & DIENENTHAL Maschinenbau GmbH
Hagener Str. 103, 57072 Siegen
T: +49 271 401-0, F: +49 271 401-4210
www.dango-dienenthal.de

GLAMA Maschinenbau GmbH
Hornstr. 19, 45964 Gladbeck
T: +49 2043 9738-0, F: +49 2043 47268
www.glama.de

2270 Einblasanlagen für Argon

BEDA-Oxygentechnik GmbH
An der Pönt 59, 40885 Ratingen
T: +49 2102 9109-0
info@BEDA.com
www.BEDA.com

2290 Einblasanlagen für Hy/DRI-Stäube

STEIN INJECTION TECHNOLOGY GmbH
Hagener Str. 20-24, 58285 Gevelsberg
T: +49 2332 75742-0
F: +49 2332 75742-40
stein@sit-gmbh.net, www.sit-gmbh.net

2300 Einblasanlagen für Kalkgranulat

STEIN INJECTION TECHNOLOGY GmbH
Hagener Str. 20-24, 58285 Gevelsberg
T: +49 2332 75742-0
F: +49 2332 75742-40
stein@sit-gmbh.net, www.sit-gmbh.net

2310 Einblasanlagen für Kohlenstoff (Elektrolichtbogenöfen)
STEIN INJECTION TECHNOLOGY GmbH
Hagener Str. 20-24, 58285 Gevelsberg
T: +49 2332 75742-0
F: +49 2332 75742-40
stein@sit-gmbh.net, www.sit-gmbh.net

2350 Entschwefelungsausrüstungen
ALMAMET GMBH
Gewerbestr. 5A, 83404 Ainring
T: +49 8654 77318-0, F: +49 8654 5605
info@almamet.com
www.almamet.com

2430 Handhabungsgeräte
GLAMA Maschinenbau GmbH
Hornstr. 19, 45964 Gladbeck
T: +49 2043 9738-0, F: +49 2043 47268
www.glama.de

2440 Handhabungsgeräte für Sauerstoff-/Kohlenstoff-Lanzen
BEDA-Oxygentechnik GmbH
An der Pönt 59, 40885 Ratingen
T: +49 2102 9109-0
info@BEDA.com
www.BEDA.com

2490 Kohlenstaubeinblaslanzen
BEDA-Oxygentechnik GmbH
An der Pönt 59, 40885 Ratingen
T: +49 2102 9109-0
info@BEDA.com
www.BEDA.com

2530 Lanzenroboter/-manipulatoren
BEDA-Oxygentechnik GmbH
An der Pönt 59, 40885 Ratingen
T: +49 2102 9109-0
info@BEDA.com
www.BEDA.com

2580 Sauerstoffdüsen und Blaslanzen
LOI Thermprocess GmbH
Schifferstr. 80, 47059 Duisburg
T: +49 203 80398-900
F: +49 203 80398-901
loi@tenova.com, www.loi.tenova.com

2600 Sauerstofflanzen-Ausrüstung
BEDA-Oxygentechnik GmbH
An der Pönt 59, 40885 Ratingen
T: +49 2102 9109-0
info@BEDA.com
www.BEDA.com

2655 Sicherungen (Multifunktion) für Brenner
BEDA-Oxygentechnik GmbH
An der Pönt 59, 40885 Ratingen
T: +49 2102 9109-0
info@BEDA.com
www.BEDA.com

2660 Spezial-Sicherheits-Sauerstoff-Schlauchtrommeln
BEDA-Oxygentechnik GmbH
An der Pönt 59, 40885 Ratingen
T: +49 2102 9109-0
info@BEDA.com
www.BEDA.com

04.10 Stahlwerksbedarf

2710 Aufkohlungsmittel aller Art
Rheinbraun Brennstoff GmbH
Ludwigstraße, 50226 Frechen
T: +49 221 480-25448
lsr@rwe.com
www.rheinbraun-brennstoff.de

2720 Desoxidationsmittel
Rheinbraun Brennstoff GmbH
Ludwigstraße, 50226 Frechen
T: +49 221 480-25448
lsr@rwe.com
www.rheinbraun-brennstoff.de

2750 Entschwefelungs- und Desoxidationsmittel
ALMAMET GMBH
Gewerbestr. 5A, 83404 Ainring
T: +49 8654 77318-0, F: +49 8654 5605
info@almamet.com
www.almamet.com

2760 Entschwefelungsmittel (auch Magnesium)
ALMAMET GMBH
Gewerbestr. 5A, 83404 Ainring
T: +49 8654 77318-0, F: +49 8654 5605
info@almamet.com
www.almamet.com

2827 Isolierende Abdeckmittel für Tundish, Pfannen und Rinnen
Refratechnik Steel GmbH
Am Seestern 5, 40547 Düsseldorf
steel@refra.com, www.refra.com

2880 Pfannenschiebersand
Bernhard Jacob GmbH
Am Sandberg
66333 Völklingen-Ludweiler
T: +49 6898 54520 F: +49 6898 545238
info@bernhard-jacob-gmbh.de
www.bernhard-jacob-gmbh.de

2900 Schlackeschäumung
STEIN INJECTION TECHNOLOGY GmbH
Hagener Str. 20-24, 58285 Gevelsberg
T: +49 2332 75742-0
F: +49 2332 75742-40
stein@sit-gmbh.net, www.sit-gmbh.net

05 Stranggießen

2960 Engineering und technische Assistenz
MAGMA Giessereitechnologie GmbH
Kackertstr. 11
52072 Aachen
T: +49 241 88901-0
F: +49 241 88901-60
info@magmasoft.de
www.magmasoft.de

07 Warmwalzen

07.10 Komponenten

4528 Entzunderungssysteme mit Hochdruckwasser
HYDROWATT AG
Freistrasse 2
8200 Schaffhausen, Schweiz
T: +41 52 624 53 22
info@hydrowatt.com
www.hydrowatt.com

WOMA GmbH | Kärcher Group
47226 Duisburg
T: +49 2065 304-0 | F: -200
www.woma-group.com

08 Schmieden, Strangpressen

08.03 Komponenten

5150 Schmiedemanipulatoren
DANGO & DIENENTHAL Maschinenbau GmbH
Hagener Str. 103, 57072 Siegen
T: +49 271 401-0, F: +49 271 401-4210
www.dango-dienenthal.de

GLAMA Maschinenbau GmbH
Hornstr. 19, 45964 Gladbeck
T: +49 2043 9738-0, F: +49 2043 47268
www.glama.de

5160 Schmiederoboter
GLAMA Maschinenbau GmbH
Hornstr. 19, 45964 Gladbeck
T: +49 2043 9738-0, F: +49 2043 47268
www.glama.de

5180 Transport-Manipulatoren
DANGO & DIENENTHAL Maschinenbau GmbH
Hagener Str. 103, 57072 Siegen
T: +49 271 401-0, F: +49 271 401-4210
www.dango-dienenthal.de

GLAMA Maschinenbau GmbH
Hornstr. 19, 45964 Gladbeck
T: +49 2043 9738-0, F: +49 2043 47268
www.glama.de

10 Kaltwalzen

10.04 Glühanlagen

5670 Glühanlagen
LOI Thermprocess GmbH
Schifferstr. 80, 47059 Duisburg
T: +49 203 80398-900
F: +49 203 80398-901
loi@tenova.com, www.loi.tenova.com

11 Oberflächenveredelung

11.01 Entzunderungsanlagen

6018 Entzunderungssysteme mit Hochdruckwasser
HYDROWATT AG
Freistrasse 2
8200 Schaffhausen, Schweiz
T: +41 52 624 53 22
info@hydrowatt.com
www.hydrowatt.com

WOMA GmbH | Kärcher Group
47226 Duisburg
T: +49 2065 304-0 | F: -200
www.woma-group.com

11.02 Beizanlagen

6088 Beizanlagen, abgasfrei, für Edelstahl
KOERNER CHEMIEANLAGENBAU Ges. m. b. H.
8551 Wies, Austria
T: +43 3465 2513 F: +43 3465 2118
www.koerner.at

6090 Beizanlagen, vollständige
KOERNER CHEMIEANLAGENBAU Ges. m. b. H.
8551 Wies, Austria
T: +43 3465 2513 F: +43 3465 2118
www.koerner.at

6109 Beizbehälter für hohe mechanische Beanspruchung
KOERNER CHEMIEANLAGENBAU Ges. m. b. H.
8551 Wies, Austria
T: +43 3465 2513 F: +43 3465 2118
www.koerner.at

6140 Beizmittel für Edelstahl
Chemetall GmbH
Zweigniederlassung Schweiz
Aarauerstr. 51, 5200 Brugg, Schweiz
T: + 49 (0)69 2729 0003, F -04
www.chemetall.com

6150 Beizprodukte für nichtrostende Stähle
Chemetall GmbH
Zweigniederlassung Schweiz
Aarauerstr. 51, 5200 Brugg, Schweiz
T: + 49 (0)69 2729 0003, F -04
www.chemetall.com

11.04 Oberflächenbehandlungsanlagen

6386 Hochdruck-Wasserstrahl-Reinigungstechnologie
WOMA GmbH | Kärcher Group
47226 Duisburg
T: +49 2065 304-0 | F: -200
www.woma-group.com

6570 Vorbehandlungsanlagen für Verzinkereien
KOERNER CHEMIEANLAGENBAU Ges. m. b. H.
8551 Wies, Austria
T: +43 3465 2513 F: +43 3465 2118
www.koerner.at

11.05 Aluminieren, Verzinnen, Verzinken

6630 Feuerverzinkungsanlagen
LOI Thermprocess GmbH
Schifferstr. 80, 47059 Duisburg
T: +49 203 80398-900
F: +49 203 80398-901
loi@tenova.com, www.loi.tenova.com

13 Rohrerzeugung

13.04 Adjustageanlagen für Rohre

7530 Rohrenden-Kalibrier- und Stauchpressen
DANGO & DIENENTHAL Maschinenbau GmbH
Hagener Str. 103, 57072 Siegen
T: +49 271 401-0, F: +49 271 401-4210
www.dango-dienenthal.de

7544 Rohrrichtmaschinen
DANGO & DIENENTHAL Maschinenbau GmbH
Hagener Str. 103, 57072 Siegen
T: +49 271 401-0, F: +49 271 401-4210
www.dango-dienenthal.de

13.05 Komponenten

7615 Reinigungsmaschinen für Rohre, Profile und Vollmaterial
WOMA GmbH | Kärcher Group
47226 Duisburg
T: +49 2065 304-0 | F: -200
www.woma-group.com

15 Stahlerzeugnisse

15.01 Walzstahl

8660 Breitflachstahl
SAARSTAHL AG
66330 Völklingen
T: +49 6898-10-0
www.saarstahl.com

8790 Grobblech
AG der Dillinger Hüttenwerke
P.O.Box 1580, 66748 Dillingen
T: +49 6831 47-0, F: +49 6831 47-2212

8820 Halbzeug
SAARSTAHL AG
66330 Völklingen
T: +49 6898-10-0
www.saarstahl.com

8970 Stabstahl (Qualitäts-, Einsatz-, Vergütungs-, Feder-, Automaten)
SAARSTAHL AG
66330 Völklingen
T: +49 6898-10-0
www.saarstahl.com

8990 Stranggussknüppel
SAARSTAHL AG
66330 Völklingen
T: +49 6898-10-0
www.saarstahl.com

9050 Walzdraht
SAARSTAHL AG
66330 Völklingen
T: +49 6898-10-0
www.saarstahl.com

15.05 Stahl in folgenden Lieferformen

9570 Edelbau-, Einsatz-, Vergütungs-, oberflächenhärtbare, kaltzähe, warmfeste, Kaltstauch-, Feinkornbau-, druckwasserstoffbeständige Stähle
SAARSTAHL AG
66330 Völklingen
T: +49 6898-10-0
www.saarstahl.com

9610 Einsatzstähle, Nitrierstähle, Federstähle, ausländische Normstähle, verschleißfeste Stähle
SAARSTAHL AG
66330 Völklingen
T: +49 6898-10-0
www.saarstahl.com

9650 Nichtrostende, säure- und hitzebeständige Stähle
EZM Edelstahlzieherei Mark GmbH
Auf der Bleiche 26, 58300 Wetter
T: +49 2335 977-0, F: +49 2335 977-277
www.ezm-mark.de

9670 Schnellarbeitsstähle
EZM Edelstahlzieherei Mark GmbH
Auf der Bleiche 26, 58300 Wetter
T: +49 2335 977-0, F: +49 2335 977-277
www.ezm-mark.de

9690 Stähle mit besonderen physikalischen Eigenschaften
EZM Edelstahlzieherei Mark GmbH
Auf der Bleiche 26, 58300 Wetter
T: +49 2335 977-0, F: +49 2335 977-277
www.ezm-mark.de

9710 Wälzlagerstähle
EZM Edelstahlzieherei Mark GmbH
Auf der Bleiche 26, 58300 Wetter
T: +49 2335 977-0, F: +49 2335 977-277
www.ezm-mark.de

SAARSTAHL AG
66330 Völklingen
T: +49 6898-10-0
www.saarstahl.com

9720 Werkzeugstähle, legiert und unlegiert
EZM Edelstahlzieherei Mark GmbH
Auf der Bleiche 26, 58300 Wetter
T: +49 2335 977-0, F: +49 2335 977-277
www.ezm-mark.de

15.06 Zieherei- und Kaltwalzwerkserzeugnisse

9730 Blankstahl (einschließlich Automatenblankstahl, Blankstahlwellen, blanken Spezialprofilen)
EZM Edelstahlzieherei Mark GmbH
Auf der Bleiche 26, 58300 Wetter
T: +49 2335 977-0, F: +49 2335 977-277
www.ezm-mark.de

9860 Zieherei- und Kaltwalzwerkserzeugnisse
EZM Edelstahlzieherei Mark GmbH
Auf der Bleiche 26, 58300 Wetter
T: +49 2335 977-0, F: +49 2335 977-277
www.ezm-mark.de

15.07 Draht und Drahterzeugnisse

10015 Profildraht
EZM Edelstahlzieherei Mark GmbH
Auf der Bleiche 26, 58300 Wetter
T: +49 2335 977-0, F: +49 2335 977-277
www.ezm-mark.de

16 Ofen- und Energietechnik

10170 Ofenoptimierung (Umbau auf NOx-arme Verbrennung)
LOI Thermprocess GmbH
Schifferstr. 80, 47059 Duisburg
T: +49 203 80398-900
F: +49 203 80398-901
loi@tenova.com, www.loi.tenova.com

16.02 Schmiedeöfen

10230 Schmiedeöfen
LOI Thermprocess GmbH
Schifferstr. 80, 47059 Duisburg
T: +49 203 80398-900
F: +49 203 80398-901
loi@tenova.com, www.loi.tenova.com

16.03 Rollenherd-Durchlauföfen

10260 Rollenherd-Durchlauföfen
LOI Thermprocess GmbH
Schifferstr. 80, 47059 Duisburg
T: +49 203 80398-900
F: +49 203 80398-901
loi@tenova.com, www.loi.tenova.com

10270 Rollenherd- und Hubbalkenöfen
LOI Thermprocess GmbH
Schifferstr. 80, 47059 Duisburg
T: +49 203 80398-900
F: +49 203 80398-901
loi@tenova.com, www.loi.tenova.com

16.05 Haubenöfen

10310 Haubenöfen
LOI Thermprocess GmbH
Schifferstr. 80, 47059 Duisburg
T: +49 203 80398-900
F: +49 203 80398-901
loi@tenova.com, www.loi.tenova.com

16.07 Härte- und Vergütungsanlagen

10355 Aufkohlungsöfen
LOI Thermprocess GmbH
Schifferstr. 80, 47059 Duisburg
T: +49 203 80398-900
F: +49 203 80398-901
loi@tenova.com, www.loi.tenova.com

16.08 Wärmöfen und Wärmebehandlungsanlagen

10408 Durchlauföfen
LOI Thermprocess GmbH
Schifferstr. 80, 47059 Duisburg
T: +49 203 80398-900
F: +49 203 80398-901
loi@tenova.com, www.loi.tenova.com

10410 Gleichschrittöfen
LOI Thermprocess GmbH
Schifferstr. 80, 47059 Duisburg
T: +49 203 80398-900
F: +49 203 80398-901
loi@tenova.com, www.loi.tenova.com

10430 Herdwagenöfen
LOI Thermprocess GmbH
Schifferstr. 80, 47059 Duisburg
T: +49 203 80398-900
F: +49 203 80398-901
loi@tenova.com, www.loi.tenova.com

10460 Kammeröfen
LOI Thermprocess GmbH
Schifferstr. 80, 47059 Duisburg
T: +49 203 80398-900
F: +49 203 80398-901
loi@tenova.com, www.loi.tenova.com

10510 Rollenherd- und Hubbalkenöfen
LOI Thermprocess GmbH
Schifferstr. 80, 47059 Duisburg
T: +49 203 80398-900
F: +49 203 80398-901
loi@tenova.com, www.loi.tenova.com

10540 Stoß-, Roll- und Drehherdöfen
LOI Thermprocess GmbH
Schifferstr. 80, 47059 Duisburg
T: +49 203 80398-900
F: +49 203 80398-901
loi@tenova.com, www.loi.tenova.com

10560 Wärmebehandlungsanlagen
LOI Thermprocess GmbH
Schifferstr. 80, 47059 Duisburg
T: +49 203 80398-900
F: +49 203 80398-901
loi@tenova.com, www.loi.tenova.com

10562 Wärmebehandlungsöfen (kontinuierlich und diskontinuierlich)
LOI Thermprocess GmbH
Schifferstr. 80, 47059 Duisburg
T: +49 203 80398-900
F: +49 203 80398-901
loi@tenova.com, www.loi.tenova.com

10570 Wärm- und Wärmebehandlungsöfen für satzweisen Betrieb, offen beheizt
LOI Thermprocess GmbH
Schifferstr. 80, 47059 Duisburg
T: +49 203 80398-900
F: +49 203 80398-901
loi@tenova.com, www.loi.tenova.com

16.09 Badöfen

10580 Aluminiumschmelzöfen
LOI Thermprocess GmbH
Schifferstr. 80, 47059 Duisburg
T: +49 203 80398-900
F: +49 203 80398-901
loi@tenova.com, www.loi.tenova.com

16.13 Komponenten

10830 Blockdrücker
GLAMA Maschinenbau GmbH
Hornstr. 19, 45964 Gladbeck
T: +49 2043 9738-0, F: +49 2043 47268
www.glama.de

17 Feuerfesttechnik

11248 Überwachung von feuerfesten Bauteilen
Saveway GmbH & Co. KG
Wümbacher Landstr. 8, 98693 Ilmenau
T: +49 3677 8060-0, F: +49 3677 8060-99
www.saveway-germany.de

17.03 Feuerfeste Werkstoffe und Einrichtungen

11500 Fertigbauteile, feuerfeste
Dörentrup Feuerfestprodukte GmbH & Co.KG
www.doerentrup-feuerfest.de

Bernhard Jacob GmbH
Am Sandberg
66333 Völklingen-Ludweiler
T: +49 6898 54520 F: +49 6898 545238
info@bernhard-jacob-gmbh.de
www.bernhard-jacob-gmbh.de

Refratechnik Steel GmbH
Am Seestern 5, 40547 Düsseldorf
steel@refra.com, www.refra.com

11510 Feuerbeton
Dörentrup Feuerfestprodukte GmbH & Co.KG
www.doerentrup-feuerfest.de

11520 Feuerfeste Erzeugnisse, allgemein
Dörentrup Feuerfestprodukte GmbH & Co.KG
www.doerentrup-feuerfest.de

Bernhard Jacob GmbH
Am Sandberg
66333 Völklingen-Ludweiler
T: +49 6898 54520 F: +49 6898 545238
info@bernhard-jacob-gmbh.de
www.bernhard-jacob-gmbh.de

Refratechnik Steel GmbH
Am Seestern 5, 40547 Düsseldorf
steel@refra.com, www.refra.com

11530 Feuerfeste Stampfmassen
Dörentrup Feuerfestprodukte GmbH & Co.KG
www.doerentrup-feuerfest.de

11550 Feuerfestmaterial
Dörentrup Feuerfestprodukte GmbH & Co.KG
www.doerentrup-feuerfest.de

Refratechnik Steel GmbH
Am Seestern 5, 40547 Düsseldorf
steel@refra.com, www.refra.com

11600 Gießmassen, selbstfließende
Dörentrup Feuerfestprodukte GmbH & Co.KG
www.doerentrup-feuerfest.de

11640 Induktionsofenmassen
Dörentrup Feuerfestprodukte GmbH & Co.KG
www.doerentrup-feuerfest.de

11650 Isoliermaterial, asbestfrei
Dörentrup Feuerfestprodukte GmbH & Co.KG
www.doerentrup-feuerfest.de

11720 Massen, feuerfeste (allgemein)
Dörentrup Feuerfestprodukte GmbH & Co.KG
www.doerentrup-feuerfest.de

Refratechnik Steel GmbH
Am Seestern 5, 40547 Düsseldorf
steel@refra.com, www.refra.com

11730 Mörtel und Kitte, feuerfeste
Dörentrup Feuerfestprodukte GmbH & Co.KG
www.doerentrup-feuerfest.de

11750 Pfannenmassen
Dörentrup Feuerfestprodukte GmbH & Co.KG
www.doerentrup-feuerfest.de

11755 Pfannenzustellung, monolithisch
Dörentrup Feuerfestprodukte GmbH & Co.KG
www.doerentrup-feuerfest.de

11890 Spritz- und Reparaturmassen
Dörentrup Feuerfestprodukte GmbH & Co.KG
www.doerentrup-feuerfest.de

11910 Stampf-, Gieß- und Vibrationsmassen
Dörentrup Feuerfestprodukte GmbH & Co.KG
www.doerentrup-feuerfest.de

11980 Tundish-Massen
Bernhard Jacob GmbH
Am Sandberg
66333 Völklingen-Ludweiler
T: +49 6898 54520 F: +49 6898 545238
info@bernhard-jacob-gmbh.de
www.bernhard-jacob-gmbh.de

17.05 Maschinen für den Feuerfestbau

12071 Ausbruchroboter
Brokk DA GmbH
Friedenweilerstr. 37C
79877 Friedenweiler
T: +49 7654 21297-0
info@brokk.de, www.brokk.de

TopTec Spezialmaschinen GmbH
Breithornstr. 10, 81825 München
T: +49 89 42720550
info@toptec-germany.de
www.toptec-germany.de

18 Maschinen- und Anlagentechnik

12210 Anlagenbau, allgemein
LOI Thermprocess GmbH
Schifferstr. 80, 47059 Duisburg
T: +49 203 80398-900
F: +49 203 80398-901
loi@tenova.com, www.loi.tenova.com

18.06 Lufttechnische Anlagen und Geräte

12740 Ventilatoren
Ventilatorenfabrik Oelde GmbH
Robert-Schuman-Ring 21
59302 Oelde
T: +49 25 22 75-0, F: -2 50
info@venti-oelde.de, www.venti-oelde.de

18.10 Kraft- und Arbeitsmaschinen

13070 Kolbenpumpen
HYDROWATT AG
Freistrasse 2
8200 Schaffhausen, Schweiz
T: +41 52 624 53 22
info@hydrowatt.com
www.hydrowatt.com

WOMA GmbH | Kärcher Group
47226 Duisburg
T: +49 2065 304-0 | F: -200
www.woma-group.com

13160 Vakuumpumpen
LOI Thermprocess GmbH
Schifferstr. 80, 47059 Duisburg
T: +49 203 80398-900
F: +49 203 80398-901
loi@tenova.com, www.loi.tenova.com

18.11 Getriebe und Antriebselemente

13270 Kupplungen
M.A.T. Malmedie Antriebstechnik GmbH
Dycker Feld 28, 42653 Solingen
T: +49 212 25811-0, F: +49 212 25811-31
info@malmedie.com
www.malmedie.com

18.13 Ölhydraulische Anlagen, Geräte und Zubehör

13670 Wasserhydraulik
HYDROWATT AG
Freistrasse 2
8200 Schaffhausen, Schweiz
T: +41 52 624 53 22
info@hydrowatt.com
www.hydrowatt.com

18.15 Rohrleitungen und Zubehör

13947 Flexible Schläuche mit keramischem Verschleißschutz
STEIN INJECTION TECHNOLOGY GmbH
Hagener Str. 20-24, 58285 Gevelsberg
T: +49 2332 75742-0
F: +49 2332 75742-40
stein@sit-gmbh.net, www.sit-gmbh.net

19 Transport- und Lagertechnik

19.01 Hüttenwerksfahrzeuge

14590 Hüttenwerksfahrzeuge, allgemein
DANGO & DIENENTHAL Maschinenbau GmbH
Hagener Str. 103, 57072 Siegen
T: +49 271 401-0, F: +49 271 401-4210
www.dango-dienenthal.de

14620 Schlackentransporter
GLAMA Maschinenbau GmbH
Hornstr. 19, 45964 Gladbeck
T: +49 2043 9738-0, F: +49 2043 47268
www.glama.de

19.05 Stetigförderer

14840 Pneumatische Förderanlagen
STEIN INJECTION TECHNOLOGY GmbH
Hagener Str. 20-24, 58285 Gevelsberg
T: +49 2332 75742-0
F: +49 2332 75742-40
stein@sit-gmbh.net, www.sit-gmbh.net

19.10 Komponenten

15230 Be- und Entladeanlagen
GLAMA Maschinenbau GmbH
Hornstr. 19, 45964 Gladbeck
T: +49 2043 9738-0, F: +49 2043 47268
www.glama.de

15250 Blockdrücker, Ausziehvorrichtungen
GLAMA Maschinenbau GmbH
Hornstr. 19, 45964 Gladbeck
T: +49 2043 9738-0, F: +49 2043 47268
www.glama.de

15400 Handhabungsmaschinen
DANGO & DIENENTHAL Maschinenbau GmbH
Hagener Str. 103, 57072 Siegen
T: +49 271 401-0, F: +49 271 401-4210
www.dango-dienenthal.de

GLAMA Maschinenbau GmbH
Hornstr. 19, 45964 Gladbeck
T: +49 2043 9738-0, F: +49 2043 47268
www.glama.de

15430 Ketten
KettenWulf Betriebs GmbH
Zum Hohenstein 15
59889 Eslohe-Kückelheim
T: +49 2973 801-0 F: -228
service@kettenwulf.com
www.kettenwulf.com

15431 Kettenräder
KettenWulf Betriebs GmbH
Zum Hohenstein 15
59889 Eslohe-Kückelheim
T: +49 2973 801-0 F: -228
service@kettenwulf.com
www.kettenwulf.com

20 Elektrotechnik und Leittechnik

20.01 Elektrische Ausrüstungen für Hütten- und Walzwerke

15730 Elektrische Ausrüstungen für Hütten- und Walzwerke
Unitechnik Automatisierungs GmbH
www.unitechnik.com

20.02 Leittechnik und Automatisierung

15970 Automation, allgemein
Unitechnik Automatisierungs GmbH
www.unitechnik.com

16010 Automationsanlagen für Kaltwalzwerke
DELTA Vertriebsges. mbH
Berliner Str. 56, 77694 Kehl
T: 06183/9194323, info.de@deltasensor.eu
www.deltasensor.eu

16030 Automationsanlagen für Stahlwerke
DELTA Vertriebsges. mbH
Berliner Str. 56, 77694 Kehl
T: 06183/9194323, info.de@deltasensor.eu
www.deltasensor.eu

Unitechnik Automatisierungs GmbH
www.unitechnik.com

16040 Automationsanlagen für Warmwalzwerke und Rohrwerke
DELTA Vertriebsges. mbH
Berliner Str. 56, 77694 Kehl
T: 06183/9194323, info.de@deltasensor.eu
www.deltasensor.eu

16050 Automationsanlagen und Prozessleitsysteme in Hütten- und Walzwerken
Unitechnik Automatisierungs GmbH
www.unitechnik.com

16150 Positioniersysteme für Krane
Johannes Hübner
Fabrik elektrischer Maschinen GmbH
Siemensstr. 7, 35394 Gießen
T: +49 641 7969-0 F: +49 641 73645
www.huebner-giessen.com

16162 Prozessautomatisierung von Bandbehandlungsanlagen
Unitechnik Automatisierungs GmbH
www.unitechnik.com

16293 Videotechnologie
DELTA Vertriebsges. mbH
Berliner Str. 56, 77694 Kehl
T: 06183/9194323, info.de@deltasensor.eu
www.deltasensor.eu

20.04 Software

16390 Simulationssoftware
MAGMA Giessereitechnologie GmbH
Kackertstr. 11
52072 Aachen
T: +49 241 88901-0
F: +49 241 88901-60
info@magmasoft.de
www.magmasoft.de

20.05 Instandhaltung

16450 Maschinendiagnose
GfM Gesell. für Maschinendiagnose mbH
Köpenicker Straße 325, 12555 Berlin
T: 030 6576 2565
www.maschinendiagnose.de

21 Mess- und Prüftechnik

21.01 Mess- und Prüftechnik, allgemein

16556 Qualitätsdatenmanagement
IMS Messsysteme GmbH
Postfach 100352, 42568 Heiligenhaus
T: +49 2056 975-0 F: +49 2056 975-140
info@ims-gmbh.de, www.ims-gmbh.de

16566 Vorwarnung von Schmelzendurchbrüchen und Restwandstärkemessung an feuerfesten Zustellungen
Saveway GmbH & Co. KG
Wümbacher Landstr. 8, 98693 Ilmenau
T: +49 3677 8060-0, F: +49 3677 8060-99
www.saveway-germany.de

21.02 Messen physikalischer Eigenschaften

16570 Abstandsmesssystem
DIMETIX AG
Degersheimerstr. 14
9100 Herisau, Schweiz
T: +41 71 353 00 00
www. dimetix.com

16580 Abstandssensoren für Positionierung und Längenmessung (Laser, Ultraschall, optisch, induktiv und kapazitiv)
DIMETIX AG
Degersheimerstr. 14
9100 Herisau, Schweiz
T: +41 71 353 00 00
www. dimetix.com

16610 Banddurchhang-Messeinrichtung
DELTA Vertriebsges. mbH
Berliner Str. 56, 77694 Kehl
T: 06183/9194323, info.de@deltasensor.eu
www.deltasensor.eu

16620 Bandzugmesssysteme
IMS Messsysteme GmbH
Postfach 100352, 42568 Heiligenhaus
T: +49 2056 975-0 F: +49 2056 975-140
info@ims-gmbh.de, www.ims-gmbh.de

16630 Breitenmessgeräte
DELTA Vertriebsges. mbH
Berliner Str. 56, 77694 Kehl
T: 06183/9194323, info.de@deltasensor.eu
www.deltasensor.eu

IMS Messsysteme GmbH
Postfach 100352, 42568 Heiligenhaus
T: +49 2056 975-0 F: +49 2056 975-140
info@ims-gmbh.de, www.ims-gmbh.de

16651 Dimensionsmesssysteme
IMS Messsysteme GmbH
Postfach 100352, 42568 Heiligenhaus
T: +49 2056 975-0 F: +49 2056 975-140
info@ims-gmbh.de, www.ims-gmbh.de

16660 Dickenmessanlagen und -geräte
DELTA Vertriebsges. mbH
Berliner Str. 56, 77694 Kehl
T: 06183/9194323, info.de@deltasensor.eu
www.deltasensor.eu

16710 Drehzahlmessgeräte
Johannes Hübner
Fabrik elektrischer Maschinen GmbH
Siemensstr. 7, 35394 Gießen
T: +49 641 7969-0 F: +49 641 73645
www.huebner-giessen.com

16780 Füllstands-Messgeräte
DIMETIX AG
Degersheimerstr. 14
9100 Herisau, Schweiz
T: +41 71 353 00 00
www. dimetix.com

16830 Geschwindigkeits-Messgeräte
Johannes Hübner
Fabrik elektrischer Maschinen GmbH
Siemensstr. 7, 35394 Gießen
T: +49 641 7969-0 F: +49 641 73645
www.huebner-giessen.com

POLYTEC GmbH
Polytec-Platz 1-7, 76337 Waldbronn
T: +49 7243 604-0, F: +49 7243 69944
info@polytec.de, www.polytec.de

16892 Kraftmessysteme
IMS Messsysteme GmbH
Postfach 100352, 42568 Heiligenhaus
T: +49 2056 975-0 F: +49 2056 975-140
info@ims-gmbh.de, www.ims-gmbh.de

16910 Längenmesseinrichtungen für Rohre
POLYTEC GmbH
Polytec-Platz 1-7, 76337 Waldbronn
T: +49 7243 604-0, F: +49 7243 69944
info@polytec.de, www.polytec.de

16920 Längenmessgeräte
DIMETIX AG
Degersheimerstr. 14
9100 Herisau, Schweiz
T: +41 71 353 00 00
www. dimetix.com

16930 Längenmessgeräte (auch für Wege und Strecken)
Johannes Hübner
Fabrik elektrischer Maschinen GmbH
Siemensstr. 7, 35394 Gießen
T: +49 641 7969-0 F: +49 641 73645
www.huebner-giessen.com

16950 Längen- und Geschwindigkeitsmesssysteme (optisch)
Johannes Hübner
Fabrik elektrischer Maschinen GmbH
Siemensstr. 7, 35394 Gießen
T: +49 641 7969-0 F: +49 641 73645
www.huebner-giessen.com

16960 Laser-Geschwindigkeits- und Längenmessgeräte
DELTA Vertriebsges. mbH
Berliner Str. 56, 77694 Kehl
T: 06183/9194323, info.de@deltasensor.eu
www.deltasensor.eu

DIMETIX AG
Degersheimerstr. 14
9100 Herisau, Schweiz
T: +41 71 353 00 00
www. dimetix.com

POLYTEC GmbH
Polytec-Platz 1-7, 76337 Waldbronn
T: +49 7243 604-0, F: +49 7243 69944
info@polytec.de, www.polytec.de

17000 Messen von feuerfesten Auskleidungen (im Betriebszustand)
Saveway GmbH & Co. KG
Wümbacher Landstr. 8, 98693 Ilmenau
T: +49 3677 8060-0, F: +49 3677 8060-99
www.saveway-germany.de

17040 Opto-elektronische Messgeräte
Johannes Hübner
Fabrik elektrischer Maschinen GmbH
Siemensstr. 7, 35394 Gießen
T: +49 641 7969-0 F: +49 641 73645
www.huebner-giessen.com

17050 Planheitsmessgeräte
IMS Messsysteme GmbH
Postfach 100352, 42568 Heiligenhaus
T: +49 2056 975-0 F: +49 2056 975-140
info@ims-gmbh.de, www.ims-gmbh.de

17060 Profilmesssysteme (berührungsfrei)
IMS Messsysteme GmbH
Postfach 100352, 42568 Heiligenhaus
T: +49 2056 975-0 F: +49 2056 975-140
info@ims-gmbh.de, www.ims-gmbh.de

17120 Rohrmesseinrichtungen
IMS Messsysteme GmbH
Postfach 100352, 42568 Heiligenhaus
T: +49 2056 975-0 F: +49 2056 975-140
info@ims-gmbh.de, www.ims-gmbh.de

17230 Tauchthermoelemente
MINKON GmbH
Heinrich-Hertz-Str. 30-32, 40699 Erkrath
T: +49 211 209908-0
F: +49 211 209908-90
info@minkon.de
www.minkon-international.com

17250 Temperaturmessgeräte
HELLING GmbH
Spökerdamm 2, 25436 Heidgraben
T: +49 4122 922-0 F: +49 4122 922-201
info@helling.de
www.helling.de

MINKON GmbH
Heinrich-Hertz-Str. 30-32, 40699 Erkrath
T: +49 211 209908-0
F: +49 211 209908-90
info@minkon.de
www.minkon-international.com

21.03 Qualitätsmanagement

17363 Feinstlochsucher
IMS Messsysteme GmbH
Postfach 100352, 42568 Heiligenhaus
T: +49 2056 975-0 F: +49 2056 975-140
info@ims-gmbh.de, www.ims-gmbh.de

17390 Längen-, Geschwindigkeits- und Profil-Messsysteme
DIMETIX AG
Degersheimerstr. 14
9100 Herisau, Schweiz
T: +41 71 353 00 00
www. dimetix.com

17400 Lochsuche
DELTA Vertriebsges. mbH
Berliner Str. 56, 77694 Kehl
T: 06183/9194323, info.de@deltasensor.eu
www.deltasensor.eu

17409 Oberflächeninspektions-systeme
IMS Messsysteme GmbH
Postfach 100352, 42568 Heiligenhaus
T: +49 2056 975-0 F: +49 2056 975-140
info@ims-gmbh.de, www.ims-gmbh.de

22 Werkstoffprüfung

22.01 Zerstörungsfreie Werkstoffprüfung

17590 Zerstörungsfreie Werkstoffprüfgeräte, elektromagnetisch
HELLING GmbH
Spökerdamm 2, 25436 Heidgraben
T: +49 4122 922-0 F: +49 4122 922-201
info@helling.de
www.helling.de

17620 Zerstörungsfreie Werkstoffprüfgeräte, optisch
HELLING GmbH
Spökerdamm 2, 25436 Heidgraben
T: +49 4122 922-0 F: +49 4122 922-201
info@helling.de
www.helling.de

17664 Zerstörungsfreie Werkstoffprüfung mit fluoreszierendem und Rot/Weiß Eindringverfahren
HELLING GmbH
Spökerdamm 2, 25436 Heidgraben
T: +49 4122 922-0 F: +49 4122 922-201
info@helling.de
www.helling.de

23 Analysentechnik und Laborausrüstungen

23.01 Probenahme und -vorbereitung

17915 Probenahme
MINKON GmbH
Heinrich-Hertz-Str. 30-32, 40699 Erkrath
T: +49 211 209908-0
F: +49 211 209908-90
info@minkon.de
www.minkon-international.com

23.02 Analysengeräte

18130 Sauerstoffsonden
MINKON GmbH
Heinrich-Hertz-Str. 30-32, 40699 Erkrath
T: +49 211 209908-0
F: +49 211 209908-90
info@minkon.de
www.minkon-international.com

18150 Stickstoffsonden
MINKON GmbH
Heinrich-Hertz-Str. 30-32, 40699 Erkrath
T: +49 211 209908-0
F: +49 211 209908-90
info@minkon.de
www.minkon-international.com

18160 Wasserstoff-Analysensystem zur Direktbestimmung
MINKON GmbH
Heinrich-Hertz-Str. 30-32, 40699 Erkrath
T: +49 211 209908-0
F: +49 211 209908-90
info@minkon.de
www.minkon-international.com

18170 Wasserstoffsonden
MINKON GmbH
Heinrich-Hertz-Str. 30-32, 40699 Erkrath
T: +49 211 209908-0
F: +49 211 209908-90
info@minkon.de
www.minkon-international.com

24 Umweltschutz und Entsorgung

24.01 Entstaubung und Gasreinigung

18360 Abgaskühlanlagen
LOI Thermprocess GmbH
Schifferstr. 80, 47059 Duisburg
T: +49 203 80398-900
F: +49 203 80398-901
loi@tenova.com, www.loi.tenova.com

18375 Sekundärabgasreinigungssysteme
Rheinbraun Brennstoff GmbH
Ludwigstraße, 50226 Frechen
T: +49 221 480-25386
hok@rwe.com, www.hok.de

18400 Aufbereitung von Stäuben aus Stahlwerken und Gießereien
Maschinenfabrik Gustav Eirich
GmbH & Co KG
Walldürner Str. 50, 74736 Hardheim
T: +49 6283 51-0, F: +49 6283 51-325
eirich@eirich.de, www.eirich.de

18420 Entstaubung und Gasreinigung
Rheinbraun Brennstoff GmbH
Ludwigstraße, 50226 Frechen
T: +49 221 480-25386
hok@rwe.com, www.hok.de

18640 Rauchgasreinigungsanlagen für Müll- und Sondermüllverbrennungsanlagen
Rheinbraun Brennstoff GmbH
Ludwigstraße, 50226 Frechen
T: +49 221 480-25386
hok@rwe.com, www.hok.de

24.02 Abwasserreinigung

18750 Abwasserbehandlung
Rheinbraun Brennstoff GmbH
Ludwigstraße, 50226 Frechen
T: +49 221 480-25386
hok@rwe.com, www.hok.de

24.03 Regenerierungsanlagen

18880 Säurefeste Auffangtassen und Wandbeschichtungen mit DIBt-Prüfzeichen
KOERNER CHEMIEANLAGENBAU Ges. m. b. H.
8551 Wies, Austria
T: +43 3465 2513 F: +43 3465 2118
www.koerner.at

24.04 Recycling und Entsorgung

18921 Anlagen zum Recycling von Reststoffen
STEIN INJECTION TECHNOLOGY GmbH
Hagener Str. 20-24, 58285 Gevelsberg
T: +49 2332 75742-0
F: +49 2332 75742-40
stein@sit-gmbh.net, www.sit-gmbh.net

18970 Injektionsanlagen für Filterstaub
STEIN INJECTION TECHNOLOGY GmbH
Hagener Str. 20-24, 58285 Gevelsberg
T: +49 2332 75742-0
F: +49 2332 75742-40
stein@sit-gmbh.net, www.sit-gmbh.net

19060 Verwertung von Reststoffen (Aschen, Schlacken, Stäube, Sande)
Sudamin Rohstoff GmbH
Sonnenwall 64, 47051 Duisburg
T: +49 203 31866-0, F: +49 203 31866-90
info@sudamin-rohstoff.com
www.sudamin-rohstoff.com

24.05 Komponenten

19130 Injektionsanlagen für aufbereitete, ölhaltige Walzzunderschlämme
STEIN INJECTION TECHNOLOGY GmbH
Hagener Str. 20-24, 58285 Gevelsberg
T: +49 2332 75742-0
F: +49 2332 75742-40
stein@sit-gmbh.net, www.sit-gmbh.net

24.06 Betriebsstoffe

19170 Aktivkohle
Rheinbraun Brennstoff GmbH
Ludwigstraße, 50226 Frechen
T: +49 221 480-25386
hok@rwe.com, www.hok.de

19180 Braunkohlenkoks
Rheinbraun Brennstoff GmbH
Ludwigstraße, 50226 Frechen
T: +49 221 480-25386
hok@rwe.com, www.hok.de

25 Arbeitsschutz und Ergonomie

25.01 Arbeitsschutz

19240 Arbeitsschutzbekleidung
Rudolf Uhlen GmbH
Am Höfgen 13, 42781 Haan
T: +49 2129 1444, F: +49 2129 59980
www.aschua-uhlen.de

27 Beratung, Planung und Dienstleistungen

19715 Beratung, Planung und Dienstleistungen
MAGMA Giessereitechnologie GmbH
Kackertstr. 11
52072 Aachen
T: +49 241 88901-0
F: +49 241 88901-60
info@magmasoft.de
www.magmasoft.de

19740 Dienstleistungen, Qualitätssicherung
MAGMA Giessereitechnologie GmbH
Kackertstr. 11
52072 Aachen
T: +49 241 88901-0
F: +49 241 88901-60
info@magmasoft.de
www.magmasoft.de

19815 Ingenieurtechnische Problemlösungen
MAGMA Giessereitechnologie GmbH
Kackertstr. 11
52072 Aachen
T: +49 241 88901-0
F: +49 241 88901-60
info@magmasoft.de
www.magmasoft.de

19860 Managementberatung
VIB GmbH
Project Management–Consulting Engineers
Prinz-Regent-Str. 64 - 68
44795 Bochum
T: +49 234 971 90 86
F: +49 234 971 90 88
vib@vib-bochum.de
www.vib-bochum.de

19930 Simulationsstudien und Software
MAGMA Giessereitechnologie GmbH
Kackertstr. 11
52072 Aachen
T: +49 241 88901-0
F: +49 241 88901-60
info@magmasoft.de
www.magmasoft.de